# REINES D'AFRIQUE

## Du même auteur

*Les Sorciers blancs. Enquête sur les faux amis français de l'Afrique*, Fayard, 2007.
*Iran, l'état d'alerte*, L'Express Editions, 2010.
*L'Afrique en face. Dix clichés à l'épreuve des faits*, Armand Colin, 2010.
*Afrique : le mirage démocratique*, CNRS Editions, 2012.


A en outre collaboré en qualité de coauteur
aux ouvrages suivants :

*Dix portraits pour la liberté de la presse*, Le Monde/La Découverte, 1995.
*Grands reporters : carnets intimes*, Elocoquent, 2008.
*Les Derniers Jours des dictateurs*, Perrin/L'Express, 2012.
*Le Siècle de sang, 1914-2014, Les vingt guerres qui ont changé le monde*, Perrin/L'Express, 2014.
*Enfants de dictateurs*, First Histoire, 2014.

collection tempus

Vincent HUGEUX

# REINES D'AFRIQUE

Le roman vrai
des Premières Dames

PERRIN
www.editions-perrin.fr

Secrétaire générale de la collection :
Marguerite de Marcillac

© Perrin, un département d'Edi8, 2014
et 2016 pour la présente édition actualisée

12, avenue d'Italie
75013 Paris
Tél. : 01 44 16 09 00
Fax : 01 44 16 09 01
www.editions-perrin.fr

ISBN : 978-2-262-06617-8

**tempus** est une collection des éditions Perrin.

*A Claire, ma reine solaire aux yeux de ciel.*

*A Clément, Timothée, Adèle, Mateo et Robinson,*
*les astres rayonnants de mon firmament intime.*

« Le pouvoir est une femme qui ne se partage pas. »

Ahmadou KOUROUMA.


« La femme, c'est le continent noir. »

Sigmund FREUD.

# Premières Dames aux premières loges

Elles suscitent, en Afrique comme ailleurs, en Afrique plus qu'ailleurs, louanges obséquieuses, rumeurs, ragots, fantasmes et sarcasmes. Elles inspirent aussi d'increvables clichés teintés d'un machisme au mieux désuet. A commencer par celui-ci : « Derrière un grand homme, il y a toujours une grande femme. » Pourquoi derrière, et non au côté, sinon devant, voire au-dessus ? Pas facile de vivre et d'exister à l'ombre du baobab national. Le fardeau, si doré soit-il, de la Première Dame serait-il plus lourd à charrier sur le continent noir que sous nos frimas ? Voire. Après tout, Valérie Trierweiler, ses tweets, ses tourments puis sa disgrâce, Carla Bruni-Sarkozy et son coûteux site auront déchaîné dans l'Hexagone d'ardentes polémiques. Mais l'enjeu s'avère d'une tout ampleur au sein des sociétés de l'aire sub-saharienne, théâtre d'un séisme silencieux. Là-bas, les lignes bougent. Le beau sexe, va pour cet autre stéréotype, s'y taille cahin-caha un statut inédit. Hier maîtresse du foyer – l'âtre comme le noyau familial –, la femme investit de nouveaux espaces : les amphis, l'échiquier politique et l'arène des affaires, du micro-crédit rural au *business* de haut vol. En creux, et par l'entremise de ses reines et de ses princesses, c'est l'Afrique – ou plutôt les Afriques – que nous auscultons. Un continent qui, entre la servitude d'hier, les élans d'aujourd'hui et les périls de demain, écrit enfin son histoire. Autant dire que l'épouse du « boss » ne saurait, sous peine d'archaïsme, jouer les potiches postcoloniales, pas plus que les clones tropicaux de Jackie Kennedy, pionnière de la planète people, ou *a contrario* d'Yvonne de Gaulle, incarnation de l'effacement.

## *La* First Lady *dans ses œuvres*

Modernité ambiguë, bien sûr. Atout cœur de la *First Lady*, la fondation caritative à spectre large ne fait au fond que ripoliner l'arsenal de la dame patronnesse, figure maternelle, voire thaumaturge, ainsi dotée d'une arme à double tranchant. Santé, éducation, secours aux indigents : si elles tendent à humaniser le présidentiel époux, les bonnes œuvres de Madame dressent en creux l'inventaire des échecs de Monsieur et dessinent les contours de son incurie. Gare au syndrome du boomerang... Autre effet pervers : le risque de dévoyer le concept même de « société civile », nébuleuse subversive par nature dont il serait aisé d'annexer les champs de bataille avec les moyens de l'Etat. Que bâtit-on de durable sur de telles fondations ? A vrai dire pas grand-chose. Un signe : même si l'Ivoirienne Henriette Konan Bédié, dépossédée de son titre seize ans plus tôt, persistait encore en novembre 2015, à la faveur d'un dîner de gala monégasque, au profit de son ONG Servir, à réunir les fonds que requiert la construction d'un hôpital voué au traitement des affections rénales, l'ouvroir moderne survit rarement à l'abdication de son inspiratrice. « Comment utiliser à bon escient l'immense pouvoir dont jouissent nos *First Ladies* ? s'interroge la Libérienne Leymah Gbowee, colauréate du prix Nobel de la paix en 2011. Jusqu'alors, c'est un échec. Mais les torts sont partagés. Nous, militantes et activistes, n'avons pas su les mobiliser sur nos enjeux prioritaires. Et elles ont échoué à s'en emparer[1]. »

Convenons-en : il est aussi tentant que vain d'esquisser une typologie des reines d'Afrique, comme d'invoquer la cohorte des archétypes légués par la mythologie et la ronde des siècles. La revue *Politique africaine* eut la sagesse d'y renoncer en octobre 2004, date de la parution d'un numéro spécial d'excellente facture[2]. Dix ans après, on choisira de l'imiter. Car rien ici-bas n'est chimiquement pur. Chacune de nos souveraines allie, dans un cocktail au dosage subtil et instable, les vertus et les travers de Messaline, Mère Teresa, Marie-Antoinette, Junon, Cléopâtre, Jeanne d'Arc, Agrippine, Bécassine, Carmen, Salammbô, Didon, la Pompadour ou Desdémone. Et dans Desdémone, il y a...

---

1. Entretien avec l'auteur, 8 octobre 2012.
2. « Premières Dames en Afrique », *Politique africaine*, n° 95 (Karthala, octobre 2004).

Qu'on la campe en sainte laïque ou en diablesse, la *First Lady* ne saurait échapper aux bourrasques de la mondialisation. D'autant qu'elle se doit, s'agissant du combat ô combien emblématique livré aux pandémies qui ravagent le continent, d'élargir son champ d'action en adhérant à l'une des amicales vouées à ce chantier et apparues à l'aube du millénaire naissant, telles Synergies africaines contre le sida et les souffrances ou l'Organisation des Premières Dames d'Afrique contre le VIH/sida (OPDAS). Il y a, lit-on dans le chapitre introductif du dossier de *Politique africaine* mentionné ci-dessus, « glissement d'une politique classique des œuvres de bienfaisance à des politiques internationales de la compassion ». Compassion aléatoire : le 1er juillet 2013, soit deux mois après le lancement solennel, au palais des Congrès de Yaoundé (Cameroun), d'un ouvrage à la gloire de cet « acteur majeur de la santé publique », le site web de Synergies africaines brillait surtout par son obsolescence. En page d'accueil défilaient ainsi les visages de la Sénégalaise Viviane Wade, de l'Egyptienne Suzanne Moubarak, de la Centrafricaine Monique Bozizé et de la Malienne Lobbo Traoré Touré, toutes quatre délestées à cette date, par les urnes ou par la force, de leur couronne de Première Dame. Tout comme la Nigérienne Hadjia Laraba Tandja, gratifiée du label de « présidente en exercice », quoique privée de ses attributs trois ans et demi auparavant. Le Livre d'or ? Vide. Le « conseil de la semaine » ? « Le préservatif, c'est bien ; l'abstinence et la fidélité, c'est mieux. » Recommandation dont on se demande si elle s'adresse aux seuls internautes ou, par ricochet, aux époux de ces dames. A l'échelle continentale, la reine d'Afrique s'apparente parfois, sur le mode de la trappe à miel, à un produit d'appel. Rien de tel que de monter un colloque de *First Ladies* pour dissuader tel chef d'Etat, volontiers casanier, de zapper un sommet régional. Stratagème recyclé en juin 2012 par Richard Attias, chef d'orchestre du premier New York Forum for Africa, ou Nyfa, convoqué à Libreville (Gabon). A la faveur d'un *« Dialogue for Action »*, son épouse Cécilia, autrefois Sarkozy, parvint ainsi à réunir à la même tribune la maîtresse de céans Sylvia Bongo Ondimba, Dominique Ouattara (Côte d'Ivoire), Chantal Compaoré (Burkina Faso), Marième Sall (Sénégal), Jeannette Kagamé (Rwanda), Patience Jonathan (Nigeria) et Penehupifo Pohamba (Namibie).

### Raison d'Etat, déraison du cœur

Prenons les devants. Dès lors qu'il s'aventure dans un tel gynécée, l'auteur de cet ouvrage encourt *a minima* deux reproches. D'abord, un procès en futilité. A quoi bon scruter l'histoire par le petit bout de la lorgnette, sinon par le trou de la serrure ? Nulle inhibition et point de pudeurs de chaisière en la matière. Contempler le chaos du monde par le seul prisme de l'intime serait absurde. Mais biffer l'inconnue conjugale de l'équation des jeux de pouvoir tout aussi inepte. On le verra : dans l'Afrique d'aujourd'hui, comme dans les monarchies européennes du Moyen Age à nos jours, l'union de deux êtres a souvent vocation à sceller ou à restaurer une alliance régionale 24 carats. Du Gabon au Burkina Faso, de la Côte d'Ivoire au Congo-Brazzaville, mieux vaut d'ailleurs se munir d'un traité de géopolitique matrimoniale pour lire sans s'y noyer la carte du tendre. Alors engagé dans une lutte à mort avec son rival Pascal Lissouba, le Congolais Denis Sassou-Nguesso sut gré à sa fille Edith-Lucie, aujourd'hui disparue, d'avoir convaincu son époux gabonais Omar Bongo Ondimba de descendre de sa chaise d'arbitre régional pour épauler papa. Quant à Antoinette, femme du même Sassou et fille de l'indocile bastion pétrolier de Pointe-Noire, elle aura souvent jeté des passerelles entre le palais et ses opposants. Si, en janvier 2016, le Guinéen Alpha Condé, fraîchement réélu, confie le portefeuille du Plan et de la Coopération internationale à son ex-épouse « Mama » Kanny Diallo, c'est à coup sûr en raison des compétences de cette économiste chevron-née, mais aussi par souci de pacifier ses relations avec la communauté peule, dont l'ancienne compagne est issue. Médiatrice, Madame peut aussi, éperonnée par l'ambition, jouer les coaches auprès d'un champion gagné par le doute. Si « l'autre moitié du ciel » ne fait ni la pluie ni le beau temps, il arrive à la Première Dame d'avoir le dernier mot. Les Ivoiriens Laurent Gbagbo et Alassane Ouattara savent l'un et l'autre ce que leur carrière doit, pour le meilleur et pour le pire, à la pugnacité d'une moitié réfractaire à la demi-mesure. Sur un registre voisin, la Nigériane Stella Obasanjo écuma quatre années durant les palais africains pour plaider la cause de son futur président de mari Olusegun, embastillé sous le règne tyrannique du général Sani Abacha[3]. Quant à la Malgache Lalao

---

3. Acteur central de putschs perpétrés en 1983 et 1985, puis homme clé de la junte dirigée par le général Ibrahim

Ravalomanana, elle briguera vainement le statut de candidate de substitution. Son époux Marc, évincé du palais en 2009, ayant été banni de l'arène électorale, la très pieuse « Neny » – Maman – tentera de reprendre le flambeau à la faveur du scrutin d'octobre 2013. Peine perdue. « Sauver un pays, serinait-elle alors, c'est comme gérer un ménage. » Axiome aussi spécieux que celui qui veut que l'on puisse conduire sa patrie en chef d'entreprise. Peine perdue certes, mais partie remise : le 31 juillet 2015, la très maternelle Lalao a conquis, à défaut de magistrature suprême, la mairie de la capitale Antananarivo.

Messagère, aiguillon, avocate, suppléante… Et paratonnerre : la reine peut détourner de la couronne du monarque les foudres du courroux populaire. Mission équivoque là encore : si ses frasques, sa garde-robe, ses états d'âme ou ses errements mondains stimulent la verve des railleurs, ils peuvent tout autant attiser la rancœur envers le chef incapable de « tenir » sa maisonnée. La roche Tarpéienne jouxte tous les capitoles. Et la compagne érigée en égérie peut se faire fossoyeuse. Notamment quand elle infiltre au palais gourous, prêcheurs et affairistes. « Dans l'aire sahélienne, déplore un initié, la deuxième épouse d'Amadou Toumani Touré – l'élu malien renversé en mars 2012 –,

---

Babangida, Sani Abacha accède au pouvoir en 1993 et instaure aussitôt une implacable dictature militaire. La pendaison, en 1995, de l'écrivain Ken Saro-Wiwa accroît l'isolement du tyran, aux prises avec une campagne de grèves et de désobéissance civile. Abacha succombe en juin 1998 à une défaillance cardiaque causée, selon la presse locale, par une overdose de Viagra.

d'origine arabe, aura joué le rôle le plus néfaste. Les trafiquants d'arme et de came doivent en partie à sa bienveillance d'avoir investi le pays. » Peut-on tenir rigueur à la Première Dame d'introduire à la présidence le dieu des sectes évangéliques à l'américaine ? Au vu de la dérive messianique orchestrée en son temps à Abidjan par l'Ivoirienne Simone Gbagbo, oui. D'autres s'y sont employées avec, grâce au ciel, des effets moins dévastateurs. En Ouganda, Janet Museveni, compagne de l'indéboulonnable Yoweri, réélu en février 2016 pour un cinquième mandat, n'est pas que députée et ministre en charge du Karamoja, province excentrée du nord-est. Adepte d'une Eglise du Réveil d'outre-Atlantique, elle dirige aussi une ONG antisida au credo puritain. Au Burundi, on prêche en couple et en famille. Au côté de son époux Pierre Nkurunziza et de leurs enfants choristes, la « révérende » Denise Bucumi anima en août 2013 dans le sud du pays une croisade chrétienne de quatre jours, histoire de moucher dignement la troisième bougie de la réélection du chef de l'Etat. Point d'orgue du périple : une grand-messe populaire dans le stade de Rumonge, en présence de dignitaires catholiques, protestants et musulmans. Leurs oraisons n'auront hélas nullement prémuni le pays contre la dérive caporaliste et criminelle du régime.

« Il n'y a pas d'amour heureux », se désolait Aragon. « Il n'y a pas de mariages d'amour, soupire en écho un ex-diplomate, vétéran désabusé des intrigues subsahariennes. Pas plus dans l'Afrique d'aujourd'hui que dans la France de 1900. Il n'y a que des intérêts, des calculs et des arrangements. La Première Dame, voilà bien le talon d'Achille des chefs d'Etat africains, enclins à sauter sur tout ce qui porte jupon ; donc à passer avec Madame ce deal implicite ou explicite : si tu fermes les yeux sur mes fredaines, libre à toi d'agir dans l'ombre à ta guise, *shopping* et amants compris. » Excessif ? Sans doute. Reste que si Cupidon parvient à se frayer un chemin sous les lambris et les moulures des présidences pour décocher çà et là quelque flèche, il a bien du mérite. Au demeurant, la version officielle servie aux médias et au bon peuple, du coup de foudre initial, romanesque à souhait, à l'harmonie familiale, évidemment inaltérable, travestit la réalité. Ce qu'attestent dans ces pages maints témoignages inédits et quelques révélations. Pour autant, on épargnera au lecteur – et aux avocats de la maison Perrin – le récit détaillé des secrets d'alcôves, tantôt cocasses, tantôt sordides, glanés fortuitement au fil de l'enquête. Il ne sera question dans ces pages ni des pulsions incestueuses de l'un, ni de la bisexualité alléguée de l'autre, ni des roustes supposément administrées par un troisième. Un : je n'ai – Dieu merci – jamais tenu la chandelle. Deux : ces anecdotes, fondées ou pas mais par nature invérifiables, parasiteraient notre propos. A savoir une ébauche de réflexion, par le biais de la galerie de portraits qui suit, sur les métamorphoses de l'image et de la mission de la Première Dame depuis les indépendances. Mais voilà : si le devenir des nations ne se joue pas seulement au creux des lits à baldaquin, les élans de la chair, l'amour et le désamour tournent assez les têtes, sous toutes les latitudes, pour affoler les boussoles de la raison d'Etat. Quiconque prétend décrypter les convulsions de l'histoire immédiate par le seul examen clinique des rapports de force, dédaignant l'impact du désir, du magique et du sacré, court tout droit à l'échec. On peut faire la guerre pour le galbe d'un buste et la paix pour une chute de rein.

Second grief, le défaut de légitimité. Comment un mâle, visage pâle de surcroît et – circonstance aggravante – citoyen d'une ex-puissance coloniale, ose-t-il ainsi explorer ce que les initiés savent, mais qu'il sied de taire ? D'abord, je fais ce que je veux. Ensuite, tous mes interlocuteurs africains, emmenés par celles et ceux qui m'aidèrent à démêler l'écheveau des on-dit, m'ont encouragé à mener ce chantier à son terme. « Vas-y, m'a intimé l'un d'eux. Tâche de raconter ce que je ne peux pas écrire. Du moins pas encore. »

## Touche donc à la femme blanche

Puisque nous en sommes aux goûts et aux couleurs, restons-y, sans tabou ni trompette. Quatre des dix stars de notre damier – Dominique Ouattara, Sylvia Bongo Ondimba, Viviane Wade et Chantal Biya – sont blanches ou métisse. Rançon de l'histoire coloniale, paraît-il. Un peu court. Les deux premières citées croisèrent la trajectoire de leur futur conjoint en terre d'Afrique. Où elles gravitaient dans le même cénacle social, élitiste, cosmopolite et nanti. Quant à l'épouse de l'ancien président sénégalais Abdoulaye Wade, elle n'a pas, comme le prétend la légende, rencontré son champion sur les bancs de la fac de Dijon, mais dans la demeure cossue d'un mari aussi Français de souche que possible. Il y a donc autre chose. Une résistance, sans doute d'ordre culturel, à l'africanisation pourtant inéluctable du partenariat conjugal. Faut-il, au risque du raccourci, tenir la beauté au teint clair pour un gage de réussite et d'ascension, un trophée, sinon l'instrument d'une revanche sur les décennies de sujétion coloniale[4] ? Une certitude : à Dakar, au printemps 2012, on n'était pas peu fier de voir débouler au palais, dans le sillage de l'élu Macky Sall, sa compagne Marième Faye, fervente musulmane à la peau d'ébène. Profil inédit jusqu'alors au pays de la Teranga. Bien sûr, il n'y a qu'en musique qu'une blanche vaut deux noires. « Mais le vieux complexe perdure », constate le chroniqueur togolais Jean-Baptiste Placca. « Quand je servais au Gabon, renchérit un ancien ambassadeur à Libreville, il n'était pas un acteur politique qui n'ait son histoire de Française. Une obsession. » L'exemple, il est vrai, venait de haut. De 1978 à 1981, Omar Bongo Ondimba entretint ainsi une liaison avec Katherine Icardi-Lazareff, qu'il surnommait d'ailleurs « ma femme blanche ». C'est à la faveur d'une séance d'essayage que le chef d'Etat gabonais s'était entiché de la petite-fille de Pierre Lazareff, le légendaire fondateur de *France-Soir*, jeune couturière chez Ted Lapidus. L'usage voulait alors que les fournisseurs du palais du Bord de mer fassent livrer leurs costumes par des habilleuses peu farouches. « Notre histoire a pris une autre tournure », nous confiera un jour Katherine, sincèrement éprise, à l'en croire, de Bongo, mais évincée à l'usure par le clan familial.

L'Africaine par alliance le sait bien : l'atout que lui procure, en apparence, la modicité de son taux de

---

4. Sur le sujet, lire l'analyse de Damien Glez, sur le site Internet *Slate Afrique*, 6 septembre 2011.

mélanine peut devenir fardeau, voire sceau d'infamie.
Aux yeux des griots les plus vindicatifs de Laurent
Gbagbo, Dominique Ouattara, née Nouvian, est et
reste « la Française », compagne d'un aventurier « à
l'ivoirité douteuse », lui-même vendu aux néocolonia-
listes occidentaux. Tout à leur fureur, ces puristes en
oublient que bien avant d'épouser l'irascible Simone,
leur champion avait convolé avec la Lyonnaise Jacque-
line Chamois, mère de son aîné Michel.

### Epouses et mamans

Dans l'Afrique du temps jadis, relève l'historienne
Catherine Coquery-Vidrovitch, l'aura de la reine
mère supplantait celle de l'épouse[5]. La notion même
de couple, précise-t-elle, y était d'ailleurs étrangère
à « l'univers conceptuel » en vigueur. Le mariage ? Il
avait pour objet, comme dans les sociétés médiévales
de type patriarcal, d'étoffer et de renforcer le clan. La
femme du chef, dès lors, s'apparentait davantage à un
outil qu'à un acteur politique. Elle le deviendra, jon-
glant avec les valeurs d'hier – réseaux et lignages – et
les ressorts prosaïques, voire affairistes d'aujourd'hui.
Tandis que les ex-colonies accèdent à grand-peine à
une indépendance au moins formelle, les déesses
du palais conquièrent dans l'espace public un sem-
blant d'autonomie. Sans pour autant revendiquer

5. Lire, outre sa contribution à la revue *Politique africaine*
déjà citée, son ouvrage de référence récemment réédité : *Les
Africaines. Histoire des femmes d'Afrique subsaharienne du XIX*
*au XX* siècle, La Découverte/Poche, 2013.

l'emprise de la fameuse Ana Nzinga Mbande, reine guerrière et esclavagiste implacable qui, aux portes de l'actuel Angola, tint en échec les colons portugais jusqu'au milieu du XVII$^e$ siècle. Il n'empêche : à l'orée du III$^e$ millénaire, plus d'une Première Dame perpétuera au profit du fils préféré le magistère ancestral de la matriarche. Avec un bonheur inégal il est vrai. Au Sénégal, l'entêtement de Viviane Wade ne suffira pas à installer son aîné Karim dans le fauteuil du dauphin. Pas plus qu'au Zaïre de l'ère Mobutu le *forcing* de Mama Bobi Ladawa ne propulsa son rejeton Nzanga au pied du trône. En revanche, il est à craindre que le fantasque Teodorin Obiang, couvé par sa maman Constancia, héritera un jour en Guinée équatoriale du sceptre paternel.

Il y eut, parmi les « défricheuses » des années 1960, quelques majestueuses figures tutélaires, sujets un demi-siècle plus tard d'un culte un rien énigmatique. Que pleurent vraiment les nostalgiques si prompts à louanger la « classe » de celle-ci ou la « retenue » de celle-là ? Les vertus intrinsèques de ces dames ou les promesses trahies d'un âge d'or mythifié où tout semblait possible ? Bien sûr, le poète-président sénégalais Léopold Sédar Senghor avait instauré ce que l'un de ses successeurs appelle « la jurisprudence Tante Yvonne ». Allusion à la proverbiale discrétion de l'épouse du Grand Charles. Marié en premières noces à la fille de Félix Eboué, ex-gouverneur de l'Afrique équatoriale française, le héraut de la négritude convole en 1957 avec Colette Hubert ; en clair, l'immortel auteur de « Femme nue, femme noire » épouse alors une Blanche. « Rares sont les Sénégalais qui connaissaient le timbre de sa voix », confiera en décembre 2011 au *Quotidien de Dakar* l'écrivain Amadou Sall, ami et disciple de Senghor. Abnégation admirable que celle de cette Normande. Elle qui feignit de tout ignorer des innombrables aventures galantes – l'esprit est ardent mais la chair est faible – du premier agrégé de grammaire d'Afrique. Elle qui, brisée par le décès accidentel de leur fils unique Philippe, accompagna sans gémir le lent déclin puis l'agonie de Léopold, reclus dans le manoir de Verson (Calvados).

## « *Black Jackie* »

La Franco-Sénégalaise Colette fut une ombre, l'Ivoirienne Marie-Thérèse Brou un astre frondeur qui eut tôt fait d'éclipser le souvenir de la première Mme Félix Houphouët-Boigny, une métisse ivoiro-sénégalaise de confession musulmane. Le « bélier de Yamoussoukro », de 25 ans son aîné, a-t-il vraiment ravi la beauté d'ethnie baoulé[6] à l'un de ses fils en vertu – si l'on ose écrire – d'un droit d'aînesse qui resservira au Cameroun ou au Tchad ? Qu'importe : en mai 1962, la jeune mariée éblouit par sa grâce et son charme la Maison Blanche des Kennedy, tandis que le Tout-Washington s'extasie à la vue de cette « Jackie africaine ». De tous les

---

6. Originaires du Ghana voisin, les Baoulés, qui appartiennent à la nébuleuse *akan*, constituent le premier groupe ethnique de Côte d'Ivoire (23 % de la population environ). Chrétiens ou adeptes de cultes traditionnels, ils ont pour fief régional le centre du pays des Eléphants.

chefs d'Etat croisés ensuite, confie parfois avec une pointe de coquetterie celle qui porte vaillamment ses 84 printemps, l'austère de Gaulle fut le seul qui ne la courtisa point. Certes, l'ancien planteur Houphouët, coureur de fond à l'instar de tant de ses pairs, donna maints coups de machette dans le contrat. Reste que sa compagne ne fut pas en reste. Pour preuve, cette escapade italienne qui fit longtemps les délices des dîners abidjanais. Autre péché mignon : la fièvre du jeu. Dieu sait que Marie-Thérèse aura flambé dans les casinos de la Côte d'Azur et des rives du Léman. Qu'à cela ne tienne : si la « Black Jackie » en pinçait pour le black jack, Monsieur, magnanime, passait l'éponge et effaçait les ardoises. Quant à l'ex-icône dont les élégantes copiaient au temps de sa splendeur les atours et la prestance, comme leurs sœurs camerounaises guettaient les changements de coiffure de Germaine Ahidjo, l'épouse du premier président de la patrie des Lions indomptables, elle laissera sur le tard un peu de son prestige dans l'arène partisane. Pourquoi choisit-elle en 2010, à la veille d'une échéance présidentielle maintes fois différée, d'adouber le sortant Laurent Gbagbo ? Peut-être parce que celui-ci, autrefois persécuté par Houphouët, avait promis de parachever le rêve inabouti du disparu : doter son village natal de Yamoussoukro de tous les attributs d'une capitale digne de ce nom.

## Les secrets de l'impératrice

Défunte ou vivante, veuve ou pas, retirée de l'avant-scène ou en exercice, vénérée ou honnie, anonyme ou illustre, chacune des centaines de Premières Dames apparues en Afrique au gré des cinq décennies écoulées détient un fragment, si infime soit-il, de l'histoire du berceau de l'humanité. En ce 1er octobre 2013, c'est à Bangui (République centrafricaine) que s'écrivent ces lignes. La veille, j'ai vainement tenté de convaincre l'ancienne « impératrice » Catherine Bokassa, née Denguiadé, de m'accorder un entretien. Au téléphone, elle a hésité, promis de rappeler, puis s'est dérobée. Dommage. Mariée à 15 ans à peine, la sixième des dix-huit épouses de feu Jean-Bedel Bokassa réside à quelques centaines de mètres à vol d'aigle impérial de mon refuge banguissois, dans une villa-musée un temps occupée en 1979, au lendemain de l'éviction de Sa Majesté Bokassa Ier, par les marsouins français de l'opération Barracuda. Et elle aurait tant à dévoiler… « Bok » disait-il vrai lorsqu'il accusait son « cher parent » Valéry Giscard d'Estaing de lui avoir « piqué [sa] femme », contrainte selon ses dires d'avorter dans une clinique parisienne[7]? Catherine a-t-elle trahi son époux à la demande de VGE et de son conseiller Afrique René Journiac lorsque, deux mois avant que les paras tricolores n'abrègent le règne de l'Ubu roi de Bangui, elle rallia son château d'Hardricourt (Yvelines) avec un monceau de malles emplies de bijoux et de luxueuses toilettes? Exilée ensuite à Abidjan, fut-elle, pour Félix Houphouët-Boigny, plus qu'une protégée dans la peine? Lorsque l'ex-Joséphine centrafricaine consent à sortir de son silence, c'est pour rendre hommage à l'épouse de son hôte

---

7. Voir Diane Ducret, *Femmes de dictateur*, Perrin, 2011.

ivoirien, Marie-Thérèse, « ma mère, ma sœur », et à Bongo, cet autre bienfaiteur. Et raconter sa vie d'après, entre ses fleurs, sa plantation de manioc et ses voyages dans son Tchad natal ou à Genève, là où vivent plusieurs de ses enfants et petits-enfants[8]. Songerait-elle toujours à lancer une fondation philanthropique ? Oui, même si un escroc l'a devancée, collectant en son nom, papier à en-tête à l'appui, des fonds supposés financer « la lutte contre la famine, le VIH/sida et les enfants de la rue ». Vous avez bien lu : « contre », et non en faveur, des mineurs sans logis…

## Au malheur des veuves

Souvent inconnues du grand public, d'autres rescapées pourraient, pour peu qu'elles y consentent, livrer leur part de vérité et de secrets de cour. Depuis le 15 octobre 1987, date de l'assassinat de son mari Thomas, le capitaine afro-marxiste parvenu au prix d'un putsch aux commandes du Burkina Faso, Mariam Sankara bataille pour que soit réhabilitée la mémoire du défunt et châtiés ses meurtriers. Etablie dans l'Hérault et reconvertie dans le conseil en développement rural, elle a ainsi écrit en septembre 2012 à François Hollande, l'implorant vainement de renoncer à recevoir à l'Elysée le président burkinabé d'alors Blaise Compaoré, qu'elle tient non sans raison pour le cerveau du complot fatal à l'insolente icône tiers-mondiste. A la sombre

---

8. *Jeune Afrique*, 11 novembre 2012.

destinée de Mariam fait écho celle de la Française Clémence Aïssa Baré, épouse de feu Ibrahim Baré Maïnassara, général porté à la tête du Niger par un coup d'Etat militaire en janvier 1996. Au lendemain du meurtre de ce dernier, fauché trois ans plus tard par une rafale de mitrailleuse, l'éminente parasito-logue, qui enseigna à la faculté de médecine de Nia-mey, renoue avec sa « vie d'avant ». D'abord à Paris, puis à Genève, et enfin à Dakar, où elle dirige une clinique privée[9].

Il y eut, il est vrai, des sagas moins exemplaires. A commencer par celle de la Rwandaise Agathe Habya-rimana, veuve du président hutu Juvénal Habyari-mana dont la mort, le 6 avril 1994, lors du crash de son jet foudroyé par un missile sol-air à l'approche de Kigali, fit office de détonateur du génocide que tout annonçait. Trois jours plus tard, la France accueillait à Paris Agathe, dûment exfiltrée et bientôt logée aux frais de la République. Méritait-elle autant d'égards ? Evidemment non. Si elle ne fut pas l'âme damnée souvent dépeinte, ni le stratège suprême de l'ineffa-çable carnage antitutsi, la Première Dame du pays des Mille Collines passait à juste titre pour l'un des piliers de l'*akazu* – la maisonnée en kinyarwanda[10] –, nom donné au clan des boutefeux du *hutu power*. « Cette femme a le diable au corps, dit un jour d'elle François Mitterrand. Si elle le pouvait, elle continue-rait de lancer des appels au massacre sur les ondes

---

9. *Ibid.*

10. Le kinyarwanda est la langue nationale du Rwanda. Elle est aussi pratiquée au sud de l'Ouganda et à l'est de la République démocratique du Congo (RDC).

françaises[11]. » Se serait-elle depuis lors affranchie du Malin ? Désormais installée dans un pavillon de Cour-couronnes (Essonne), la veuve Habyarimana assiste à la messe chaque jour que Dieu fait et fréquente assi-dûment la cathédrale d'Evry[12]. Visée par une plainte pour complicité de génocide que déposa en 2007 le Collectif des parties civiles pour le Rwanda, la voilà réduite au statut de sans-papiers. Jadis si magna-nimes, les autorités hexagonales lui ont refusé l'asile politique puis l'octroi d'un titre de séjour.

Moins tragique, l'aventure de la Zaïroise Bobi Ladawa. En 1980, peu avant une visite du pape Jean-Paul II à Kinshasa, cette ancienne institutrice troque son bou-bou de maîtresse officielle du maréchal-président Mobutu Sese Seko contre celui d'épouse. Même s'il lui faudra partager la vie et la couche du potentat zaïrois avec sa sœur jumelle Kosia. Les parapluies de Cherbourg ? Non. Plutôt les parasols de Gbado-lite, l'extravagant « Versailles dans la jungle » que s'offrit le prédateur à la toque de léopard et à la canne ouvragée. Bigamie harmonieuse et quasiment institutionnelle, à ceci près que seule la « régulière » perçoit des autorités de l'ex-Zaïre, rebaptisé en 1997 République démocratique du Congo, une pension de veuvage mensuelle de 7 000 dollars. A l'hôpital militaire de Rabat (Maroc), Miss Bobi et Kosia, sa première dauphine, veillèrent côte à côte au chevet

---

11. Propos tenus en juin 1994 à l'Elysée par François Mitterrand à Jean-Hervé Bradol, alors président de Médecins sans frontières (MSF) ; et cités notamment dans le quotidien *Libération* (15 février 2007).

12. *Jeune Afrique*, 18 novembre 2012.

du fauve déchu, exilé et rongé par le cancer ; et ce jusqu'à son dernier souffle. Depuis le trépas, le tandem navigue entre le royaume chérifien, la somptueuse propriété portugaise de Faro, Bruxelles et Paris, perpétuant au gré des messes de requiem le culte de celui dont elles rêvent de rapatrier un jour la dépouille en son fief équatorial. Le vœu serait-il en passe d'être exaucé ? Le 23 octobre 2013, le président Joseph Kabila s'est engagé devant le parlement de Kinshasa à mettre un terme à cet exil posthume. En sa retraite sénégalaise, l'intransigeante Camerounaise Germaine Ahidjo, déjà citée, livre une bataille analogue : elle ne rentrera au pays que munie de la certitude d'y ensevelir son défunt mari Ahmadou, inhumé pour l'heure dans un carré « provisoire » du cimetière dakarois de Yoff.

## Grâce à Graça

Loin – et pour tout dire très au-dessus – du cortège des demi-reines, des clandestines et des intermittentes, la sobre Graça Machel, née Simbine, peut se prévaloir d'un parcours unique. Aucune Africaine avant elle ne fut jamais *First Lady* à deux reprises : d'abord auprès de Samora Machel, premier président du Mozambique indépendant ; puis au côté de Nelson Mandela, l'indépassable idole sud-africaine, de vingt-sept ans son aîné. Singulier destin que celui de Graça, tour à tour maquisarde au temps de la lutte contre le colonisateur portugais, directrice d'école, juriste puis, en sa qualité de ministre de l'Education, figure de proue du combat pour l'alphabétisation.

Ses engagements vaudront à cette opiniâtre poly-glotte, couverte de trophées, de conduire diverses missions onusiennes, dont une étude remarquée sur le calvaire des enfants soldats ; mais aussi de rallier la tribu des « Elders » – les Aînés –, cette confrérie de sages d'Afrique et d'ailleurs passés maîtres dans l'art délicat de la médiation là où les armes font la loi[13]. Lorsqu'en 1986 son mari Samora périt dans un crash aérien, au demeurant jamais élucidé, Mandela lui adresse de sa prison-bagne de Robben Island un message de condoléances. « Il y a toujours dans un jardin une fleur plus belle que les autres, répond la veuve anéantie au tombeur de l'apartheid. Votre lettre est cette fleur dans le grand jardin des courriers qui me sont parvenus. Un jour, nous nous rencontrerons sur le chemin de la lutte ou sur la voie de la liberté. Alors, les yeux dans les yeux, je vous dirai ma reconnaissance. » Elle tiendra parole, sans deviner alors que naîtrait ainsi une idylle miraculeuse ; ni mesurer à quel point la longue glaciation carcérale et les égarements funestes de sa compagne avaient sapé le couple que le vieux « Madiba » formait avec Winnie Madikizela-Mandela[14]. Union de

---

13. *Jeune Afrique*, 14 juillet 2013.

14. L'image de Winnie Mandela, pasionaria longtemps vénérée dans les *townships*, a été ternie par sa dérive radicale et violente. Après avoir justifié le recours à l'atroce supplice du collier envers les « traîtres » – un pneu enflammé passé autour du cou –, l'épouse du banni de Robben Island sera accusée par son garde du corps et ex-amant d'avoir commandité l'assassinat en janvier 1989 de Stompie Moeketsi, un jeune activiste de l'ANC de 14 ans qu'elle soupçonnait d'espionnage au profit du pouvoir blanc. Nelson Mandela

deux solitudes, donc. Union de deux lutteurs aussi, encore mus l'un et l'autre par de communes causes, du sida à la prévention des conflits, *via* l'insertion sociale d'une jeunesse désœuvrée. Restera pour Graça l'étrangère à conquérir le cœur des Sud-Africains. Elle y parviendra à sa manière, patiente et discrète. D'autant qu'au printemps 2013, tandis que la Nation arc-en-ciel sent vaciller la flamme d'un héros aux prises une fois encore avec la Grande Faucheuse, sa dignité ne rend que plus obscènes les minables bisbilles qui déchirent la camarilla des ayants droit du grabataire, enfants, neveux et petits-enfants. Elle veille alors sans relâche à son chevet, canalise le cortège des visiteurs, éconduit les importuns puis, la nuit venue, somnole dans un fauteuil. « Les Sud-Africains, avance l'archevêque émérite Desmond Tutu, ont contracté une énorme dette envers Graça Machel, pour la joie qu'elle apporte à Nelson Mandela depuis leur mariage. »

Et ce jusqu'au dernier souffle de Madiba, lequel s'éteindra au soir du 5 décembre 2013, en sa coquette maison de Johannesburg. A ses côtés à cet instant, les deux femmes de sa vie, Graça et Winnie, que l'on verra s'embrasser cinq jours plus tard dans la tribune d'honneur du Soccer Stadium de Soweto, théâtre luisant de pluie d'une solennelle cérémonie d'hommage.

---

annoncera sa séparation d'avec Winnie dès avril 1992, soit quatre ans avant que le divorce soit prononcé. Divorce dont Mme Ex réclamera devant les tribunaux, en octobre 2014, l'annulation. Sur ce personnage controversé, lire *Winnie Mandela. L'âme noire de l'Afrique du Sud*, de Stephen Smith et Sabine Cessou (Calmann-Lévy, 2007).

Les deux ? Non, il en manque au moins une, décédée dix mois auparavant : Amina Cachalia, militante anti-apartheid d'origine indienne, que Nelson courtisa à la hussarde, mais en vain, après la mort de son mari Yusuf. Un revers qui ne dissuadera pas le patriarche révéré de revenir à la charge, sans plus de succès d'ailleurs, alors même qu'il venait de s'unir à la veuve de Samora Machel...

## Joyce et son jet

Tout *casting* est par essence injuste. Celui qui vient n'échappe pas à la règle. Tant d'appelées et tout juste dix élues... Elues, entendons-nous, du cœur du chef, non pas du chœur des citoyens au sortir des bureaux de vote. Au printemps 2016, un seul des 54 pays d'Afrique pouvait s'enorgueillir de confier à une femme les rênes du char de l'Etat : le Liberia, où la pionnière et récidiviste Ellen Johnson Sirleaf, victorieuse dans les urnes dès 2005, entreprit en janvier 2012 son second mandat. Moins illustre, Joyce Banda aura assuré pour sa part, à compter du 7 avril de la même année, un intérim de vingt-cinq mois à la tête du Malawi. Alors vice-présidente, elle doit sa promotion au décès soudain du titulaire de la charge, Bingu wa Mutharika. D'emblée, cette ancienne ministre de l'Enfance et de la Femme puis des Affaires étrangères tente d'imposer son style : elle met en vente une soixantaine de limousines du parc automobile gouvernemental, puis le jet présidentiel, affectant aussitôt les 15 millions de dollars ainsi récoltés aux plus démunis et à la lutte contre la malnutrition. Peu réputée pour sa souplesse d'échine, Son Excellence préfère renoncer à héberger en sa capitale de Lilongwe un sommet de l'Union africaine afin de s'épargner le déplaisir d'y accueillir le *duce* soudanais Omar el-Béchir, inculpé de crimes de guerre et de crimes contre l'humanité par la Cour pénale internationale (CPI). De même, elle prône la dépénalisation de l'homosexualité, initiative ô combien hardie en terre d'Afrique. Las ! l'audace et les serments ne suffisent pas à endiguer le fléau de la corruption. Aux prises avec le retentissant scandale du « Cashgate » – 30 millions de dollars d'argent public volatilisés –, fragilisée par la débandade de bailleurs de fonds, Mrs Banda limoge en octobre 2013 tous ses ministres ; à commencer par celui de la Justice, mouillé dans la tentative d'assassinat du directeur du Budget[15]… Comment s'étonner qu'un semestre plus tard, la Malawite se soit brûlée les ailes au feu des urnes : créditée de 20,2 % des suffrages, elle échoue à la troisième place et doit céder le trône au frère de son prédécesseur.

Le 1er avril 2016, Catherine Samba Panza, « cheffe de l'Etat » de transition d'une République centrafricaine exsangue depuis janvier 2014, a quant à elle transmis son brûlant témoin au président élu Faustin Archange Touadéra. « La politique, avouait peu avant dans les colonnes de *Jeune Afrique* celle qui assure s'être forgée une carapace contre les bassesses des jeux de pouvoir, ce n'est pas mon truc. » Vraiment ? L'ancienne maire de Bangui se dit néanmoins « disponible », « prête à servir [son] pays, l'Afrique, voire le monde. »

---

15. *Jeune Afrique*, 24 novembre 2013.

« La femme sera vraiment l'égale de l'homme, ironisa voilà trois décennies Françoise Giroud, le jour où l'on désignera une incompétente à un poste important[16]. » S'inspirant de cette formule, on jugera le primat patriarcal vaincu au sud du Sahara quand il y aura lieu de consacrer un essai aux « Premiers Messieurs » du continent noir. A ce stade, la matière manque : magistrat de formation, ancien capitaine de la sélection nationale de football et ex-patron de la Cour suprême malawite, Richard Banda aurait à coup sûr été digne d'un portrait. Pas certain qu'on puisse en dire autant de James Sirleaf, l'ex-époux de la présidente libérienne, davantage porté sur le whisky et les raclées conjugales que sur le partage des tâches domestiques. Quant à Cyriaque Samba Panza, second mari de « Maman Catherine », cloué à son fauteuil roulant par un AVC, il fut maintes fois ministre dans le chaudron banguissois, sous le défunt André Kolingba puis le déchu François Bozizé.

En attendant que s'étoffe ce maigre peloton, il nous reste à rendre aux absentes et aux recalées, à celles qui auraient sans doute mérité qu'on leur consacrât un chapitre, l'hommage qui leur est dû. Parmi les dernières recrues en date du club subsaharien, la Nigériane Aisha Buhari, dont l'austère et martial compagnon, prénommé Muhammadu, a conquis le Graal électoral en mars 2015, mérite une mention spéciale. On la dit douce et humble. Aux antipodes donc de la tonitruante *First Lady* sortante Patience Jonathan, cible favorite des humoristes pour ses outrances, ses foucades télévisées et les scandales politico-financiers

---

16. *Le Monde*, 11 mars 1983.

auxquels elle fut mêlée. Dix-huit mois auparavant
avait surgi sur la scène Aminata Maïga. Coiffée du diadème de Première Dame malienne au lendemain de
l'élection de son époux Ibrahim Boubakar Keïta, *alias*
« IBK », cette affable mamie connaît tout du sérail et
de ses usages : son père fut le ministre des Finances
d'un autre Keïta, prénommé Modibo, premier chef
d'Etat du Mali indépendant. Mieux, elle appartient
à une fameuse lignée de l'ethnie songhaï de Gao[17],
atout précieux pour son sudiste de mari, d'emblée en
butte aux ressentiments d'un grand Nord malien si
longtemps délaissé et travaillé en outre par l'irréden-
tisme touareg. A propos de famille, les exégètes bama-
kois n'ont pas manqué de relever la présence, au sein
du premier gouvernement de l'ère IBK, d'un neveu
d'Aminata, pourvu du maroquin de ministre délégué
à la Promotion des investissements et à l'Initiative
privée. L'humanitaire ? Madame connaît. Créée dès
1994, son ONG Agir opère depuis lors sur le terrain
environnemental et dans l'arène caritative. Membre
du Comité national olympique, elle préside en outre
à titre honorifique la Fédération malienne de bras de
fer sportif. Si, ça existe. Ainsi, la moitié de celui que
ses disciples tiennent pour un « homme à poigne » a
du répondant. Tant mieux pour elle : la mission qui
lui échoit s'apparente à un sport de combat.

Communément prénommée Olive, Marie-Olive
Lembe di Sita, épouse Kabila, incarne à merveille en

---

17. Les Songhaïs, établis pour l'essentiel le long de la
vallée du fleuve Niger, sont les héritiers d'un empire dont
le rayonnement culmina à la fin du xv$^e$ siècle et au début
du xvi$^e$.

République démocratique du Congo – l'ex-Zaïre de Mobutu – la dialectique entre l'intime, l'image et l'impératif politique. Célébré le 17 juin 2006, le mariage de cette métisse belgo-congolaise avec Joseph Kabila, propulsé à la présidence au lendemain de l'assassinat cinq ans plus tôt de son père Laurent-Désiré, fut traité avec les égards que requiert une affaire d'Etat. Le cardinal Frédéric Etsou, archevêque de Kinshasa, prit soin d'annoncer lui-même en chaire les épousailles d'Olive la catholique et de « Jo » le protestant. Epousailles œcuméniques dûment télévisées, tout comme la cérémonie civile de la veille. Bien sûr, nul n'ignorait à Kin que les mariés vivaient en couple depuis des années ; ni qu'une fille, Sifa, était née de leur union. Mais voilà : pour consolider une assise fragile et se tailler une stature de leader, Kabila Jr se devait de solenniser cette relation. Manière, aussi, d'ancrer la « congolité » que lui conteste la frange la plus radicale de son opposition, encline à voir en lui un usurpateur de souche rwandaise[18]… Est-ce vraiment le fait du hasard si la marche nuptiale retentit huit semaines avant le scrutin présidentiel qui vaudra au sortant de prolonger son bail ? La réponse est dans la question. Cela posé, on aurait tort de réduire la Première kinoise à ce rôle de faire-valoir conjugal. Fille de la

---

18. Diverses rumeurs circulent quant à l'origine de Joseph Kabila. Selon certaines, il aurait pour mère une tutsie prénommée Marcelline. A en croire une variante, il serait le fils de ladite Marcelline et d'un opposant rwandais, et aurait été adopté à la mort de celui-ci par Laurent-Désiré Kabila. Autant de versions vigoureusement récusées par les autorités de Kinshasa.

province orientale du Maniema, elle sillonne pour le compte de son époux le Grand Est de la RDC quand sonne l'heure de battre campagne. On l'a vue en outre présider à Bukavu (Sud-Kivu) une « Journée de lutte contre la violence sexiste », parrainée par les Nations unies ; et souvent entendue plaider, à la tête de son ONG Initiative Plus, en faveur du planning familial. A l'échelle régionale, Olive Lembe Kabila proposa dès 2009, sans grand succès il est vrai, de rencontrer ses homologues afin de promouvoir la paix dans l'Afrique des Grands Lacs. Pour ce qui est de la sécurité inté-rieure, « Jo » a promu fin décembre 2013 l'oncle de Madame, Jean de Dieu Oleko, à la tête de la police nationale…

## Au crédit de Déby

La Tchadienne Hinda Déby, née Mahamat Acyl, pourrait elle aussi prétendre à un accessit dans notre palmarès. Elle est, sauf erreur ou omission, l'une des cinq coépouses du maître de N'Djamena, Idriss Déby Itno. Pas la dernière en date, mais à l'évi-dence la plus influente. Si « IDI » a convolé début 2012 à Khartoum avec la fille d'un chef de milice *janjawid* – ces supplétifs de l'armée soudanaise qui semèrent la terreur dans la province rebelle du Dar-four –, Hinda demeure, ainsi que l'atteste le site de la présidence, « Son Excellence la Première Dame » ; et c'est bien à elle qu'échut le 1$^{er}$ mars 2016 l'hon-neur de lancer la Semaine nationale de la femme tchadienne. La rubrique qui lui est consacrée détaille comme il se doit ses œuvres de charité, qu'elle fasse don de layettes aux accouchées de la Saint-Sylvestre, réconforte les « sœurs » traitées pour une fistule obstétricale, fustige les violences faites aux femmes et les mariages précoces ou ferraille sur les fronts de la mortalité maternelle et de la scolarisation des filles. Dans la même veine, un encadré dithyrambique lui fut consacré au détour de la publiscopie à la gloire du Tchad parue en janvier 2012 dans *L'Express*. Hommage à la « dame de cœur ouverte et généreuse », bienfaitrice des veuves, des orphelins, des enfants malades, des indigents et des handicapés, qui sera promue l'année suivante à la tête de l'OPDAS, l'Organisation des Premières Dames d'Afrique engagées dans la lutte contre le sida. Mieux, le lecteur apprend que Hinda, dont il convient de vanter le charme, le teint clair, les yeux en amande et les tenues chatoyantes, constitue un « atout de choix dans la carrière politique de son époux ». De fait, cette fille d'ambassadeur, propulsée au rang de « mère de la Nation » à 28 ans, ne se borne pas à distribuer des tentes dans les quartiers de la capitale dévastés par des inondations ou de présider des concours de lecture du Coran. Il lui arrive de haranguer la foule massée place de l'Indépendance, flétrissant au nom des sans-voix les diktats léonins du Fonds monétaire international (FMI) et de la Banque mondiale. Dès 2008, elle signa d'ailleurs une autobiographie intitulée *La Main sur le cœur*, publiée en français, en anglais et en arabe. Quitte à trahir quelques secrets d'Etat, l'auteure s'y vante de préparer chaque matin le petit déjeuner de son conjoint et d'inspecter ses chaussettes, mais s'avoue incapable de nouer une cravate[19]. Pas de quoi pour autant, on l'a vu, dépeindre l'intéressée en ombre du foyer, effacée et mutique. Formée à la finance et à la gestion au Togo puis au Maroc, Hinda Mahamat Acyl fut avant d'enrichir son harem la directrice du cabinet privé d'IDI. « Je lui demande conseil avant de prendre la moindre décision », confiait ce dernier au *Washington Post* en 2006. Cette année-là, tandis que le régime vacille sous les assauts des insurgés du Front uni pour le changement, on la voit endosser le treillis et entreprendre au côté de son mari la tournée des popotes, histoire de galvaniser le moral chancelant des troupes. « S'il le faut, claironne-t-elle alors, martiale, je vais au front ; je sais où se trouve mon devoir[20]. » La favorite le sait d'autant mieux qu'originaire de l'Ouaddaï, région frontalière du Soudan, elle a vocation à raviver, avec le concours de ses réseaux tribaux, la loyauté de ce foyer rebelle. Bien sûr, la visibilité et l'omniprésence d'Hinda exaspèrent les contempteurs du pouvoir. Lesquels soutiennent que cette « intrigante » aurait, avant de s'unir au chef, tissé des liens privilégiés avec son fils Brahim, assassiné dans un parking de Courbevoie (Hauts-de-Seine) en juillet 2007. Et qu'en marge des obsèques de l'héritier, un conflit vénéneux opposa le clan Déby à la famille Acyl. A propos de famille, nul ne reprochera à Hinda de négliger les intérêts de la sienne. Elle a, soulignait en mars 2015 *La Lettre du Continent*, dopé le CV de ses neuf frères et sœurs. Son aîné, Ahmat, détient le portefeuille

---

19. *La Libre Belgique*, 22 août 2011 (www.lalibre.be).
20. *Jeune Afrique*, 14 mai 2006.

de l'Education nationale. D'autres frangins gravitent dans l'orbite du chef de l'Etat, réélu en avril 2016 pour un cinquième bail ; l'un en qualité d'aide de camp, l'autre de directeur des Affaires administratives et du Matériel à la présidence. Un troisième dirige l'Office tchadien de régulation des Télécoms. Sa sœurette Mami ? N° 2 du protocole au Palais Rose. Et une cousine a hérité du secrétariat d'Etat à l'Aviation civile et à la Météorologie nationale. Pas facile dès lors de lui dénier la faculté de faire la pluie et le beau temps...

## Toute la gamme du polygame

Institutionnalisée au Tchad comme au Niger, la polygamie de palais l'est davantage encore au Swaziland, petit royaume enclavé au cœur du colosse sud-africain. En septembre 2013, Sa Majesté Mswati III y a convolé avec sa quatorzième épouse, choisie parmi les finalistes d'un concours de beauté. Tropisme austral ? La vie conjugale tumultueuse du zoulou Jacob Zuma, le président de la Nation arc-en-ciel, alimente depuis des lustres d'intenses controverses. D'autant qu'elle bouscule les usages protocolaires et pèse lourdement sur le budget de l'Etat. Pour l'anecdote, on notera qu'en 2012, le lointain successeur de Nelson Mandela sillonna le continent afin de promouvoir la candidature de son ex-épouse Nkosazana Dlamini-Zuma à la présidence de la commission de l'Union africaine.

Première Dame un jour, Première Dame toujours. Si elle a divorcé d'Omar Bongo en 1985 pour se consacrer, sous le nom de Patience Dabany, à une carrière de chanteuse populaire, Joséphine Nkama n'a jamais disparu de l'avant-scène politique gabonaise. Et pour cause : _First Lady_ dix-huit années durant, elle est aussi et surtout la mère de l'actuel chef de l'Etat Ali Bongo Ondimba. Viatique incomparable, que confortent son statut de présidente de l'Association des femmes commerçantes du Gabon, sa maîtrise de la cartographie clanique de la province du Haut-Ogooué, fief de la dynastie Bongo, et... ses tubes, tel le fameux _On vous connaît_, réquisitoire dirigé contre les adversaires du fiston, tous « nés avant la honte ». L'axiome vaut pour l'Azerbaïdjanaise Tatiana Kukanova, première épouse de l'Angolais José Eduardo Dos Santos. On peut naître à Bakou et goûter le luxe : aujourd'hui établie à Londres, la Caucasienne a fondé en 1997 avec sa fille Isabel, femme la plus riche d'Afrique à en croire le magazine _Forbes_, la Trans Africa Investment Services (TAIS), société domiciliée à Gibraltar et spécialisée dans le négoce des diamants et des pierres précieuses[21].

Là où il lui faut, fût-ce pour la galerie, adhérer à la norme monogame, le chef veille avec plus ou moins de ténacité à maintenir sa double ou triple vie en dehors du champ des caméras. Acrobatique. En Côte d'Ivoire, l'irruption auprès de Laurent Gbagbo d'une « deuxième Première Dame », en la personne de la musulmane nordiste Nadiana Bamba, ex-journaliste dûment épousée selon le rite malinké dès 2000, n'échappa qu'aux incurables distraits. Le monarque tiraillé se voit parfois contraint de déployer sous son

---

21. _Courrier international_, 5 juillet 2012.

toit des trésors de diplomatie matrimoniale. A la tête du Kenya de 2002 à 2013, Mwai Kibaki dut négocier un double *modus vivendi* avec sa très éruptive épouse Lucy, pasionaria capable de débouler au siège d'un journal dont un papier lui a déplu et d'y réduire en miettes ordinateurs et téléphones. D'abord pour contenir l'activisme désordonné de sa légitime au sein du palais. Ensuite pour perpétuer la présence dans son orbite de sa conseillère, confidente et maîtresse historique Mary Wambui[22]. Le Tout-Nairobi se souvient encore de la bourde d'un officiel qui, fin 2003, en préambule d'un dîner privé, eut le malheur de saluer en cette dernière « Son Excellence la seconde épouse ». Et ce au grand dam de la Grande Dame, première du nom, qui boudera *in petto* les agapes et le bal. Il faudra, pour circonscrire l'incendie, que la présidence se fende le 6 janvier suivant d'un communiqué détaillant la composition officielle de la « famille rapprochée » du chef de l'Etat, restaurant dans ses droits exclusifs Lucy Muthoni Kibaki. Simple anicroche vaudevillesque ? Pas vraiment. Car ce psychodrame altérera l'aura du « boss » au sein de sa communauté ethnique kikuyu[23]. Comment cet élu trop irrésolu pour pacifier son sérail nuptial pourrait-il s'imposer sur la scène kényane, si fragmentée et si

---

22. Lire l'analyse d'Hervé Maupeu, parue dans le numéro spécial de *Politique africaine* déjà cité.

23. Les Kikuyus forment le premier groupe ethnique du Kenya. Traditionnellement acquis à Mwai Kibaki, ils ont été violemment pris à partie au lendemain de la réélection contestée de ce dernier (décembre 2007), notamment dans la vallée du Rift.

tourmentée ? Quand le coq se laisse mener par le bout du bec, la basse-cour caquette... « On peut avoir deux femmes, trancha à l'époque l'éditorialiste du *Sunday Nation*, mais pas deux *First Ladies*. »

Ainsi va la vie des puissants : enclins à jouer aux dames, ils héritent d'un plateau d'échecs. Avec ses rois, ses reines, jamais vraiment folles ni tout à fait sages. Et le peuple des pions, rarement à la noce.

### Dix personnages en quête de hauteur

Un mot, en guise de conclusion, sur la distribution de la tragi-comédie en dix actes proposée ici. Quelles nominées retenir ? Quelles candidates écarter ? La sélection s'est dessinée presque à l'insu de l'auteur, au fil de ses reportages et de ses rencontres. Quiconque a le privilège – tel est le mien depuis plus de deux décennies – de sillonner l'Afrique mesure très vite combien il serait vain de reléguer la « femme du chef » au rang de figurante au mieux décorative, au pire transparente. Les engagements des Premières Dames, leurs propos et leurs silences racontent aussi, fût-ce par défaut, les mues que la vitalité impérieuse et brouillonne du continent dicte aux hommes de pouvoir. A moins qu'elles reflètent, hélas, la cécité de la caste aux commandes et son incapacité à adapter sa gouvernance aux exigences du temps. La *First Lady* est toujours, *volens nolens*, une actrice politique. Et il lui arrive de prétendre à l'oscar du meilleur – ou du pire – second rôle féminin.

Il en va de l'exercice qui suit comme du patinage artistique, combinaison de figures libres et de figures imposées. Il eût été inconcevable d'exclure d'un panel que nous avons voulu diversifié la cupide Grace Mugabe tant elle incarne les travers de la « reine Magot ». De même, comment disqualifier l'Ivoirienne Simone Gbagbo, la Sénégalaise Viviane Wade ou la Burkinabé Chantal Compaoré au prétexte qu'elles ont chu voilà peu de leur trône ? Toutes trois auront, chacune à sa manière et plus d'une décennie durant, marqué leur époque. D'où l'intérêt de camper celles qui ont hérité du sceptre de ces sortantes, à savoir Dominique Ouattara et Marième Sall. Le choix de cette dernière reflète un autre impératif : sortir de l'ombre des souveraines méconnues du grand public, mais dont on aurait tort de sous-estimer l'influence. Tel est encore le cas de Constancia Mangue de Obiang, laquelle nous offre l'occasion de nous aventurer hors du pré carré francophone, mais aussi de braquer les projecteurs sur la Guinée équatoriale, émirat pétrolier ubuesque. Enfin, il eût été étrange d'omettre les « Premières » dont les heurs et malheurs mettent en lumière l'usure de régimes rentiers au souffle court : sur ce registre, la Camerounaise Chantal Biya, personnage ô combien romanesque par ailleurs, la Congolaise Antoinette Sassou-Nguesso et la Gabonaise Sylvia Bongo Ondimba avaient toute leur place dans notre dixtuor. Dixtuor ? En musique, ensemble de dix solistes, chanteurs ou instrumentistes. A vos pupitres, et gare aux couacs…

## Chantal Biya

## La roturière de Yaoundé

Il était une fois, dans un royaume tropical aux forêts luxuriantes, un monarque inconsolable, terrassé par le trépas de son épouse, la bien-aimée reine Jeanne-Irène. Passé le temps du deuil, conseillers et courtisans, alarmés par la détresse de Sa Majesté Paul I$^{er}$ du Cameroun et rongés par la hantise de perdre leurs privilèges, entreprirent de dénicher une princesse dont les atours et le charme arracheraient à son affliction le veuf couronné. Ils lui présentèrent donc une escouade de beautés de l'aristocratie et de la haute bourgeoisie du cru, toutes plus accortes les unes que les autres. Ainsi que l'héritière chérie d'un sultanat voisin. Hélas, aucune n'eut l'heur de dérider le souverain. Pas davantage au demeurant que le tourbillon des fêtes somptueuses données au château de Yaoundé ou en son manoir de Mvomeka'a, le fief natal. Un soir, au cours de l'une d'elles, une roturière prénommée Chantal, parvenue en ces lieux on ne sait comment, découvrit le roi Paul dans un recoin du palais, prostré, en larmes. Emue, elle s'approcha de l'ancien séminariste et s'évertua à le consoler. Et là, miracle ! Le despote éploré fut d'emblée conquis par la fraîcheur de l'avenante plébéienne. Chez cette métisse, ni vrai sang bleu ni faux-semblants. Au grand dam des élites de la principauté et de la cohorte des prétendantes, seule cette Cendrillon sans diplôme ni patronyme parvint à glisser le pied dans la pantoufle de vair couleur chagrin du monarque.

Bien sûr, la cour bruissa bientôt des railleries d'une coterie dépitée. On moquait sous cape la gaucherie de l'intruse. On guettait avec gourmandise ses faux pas. On distillait de vénéneuses rumeurs sur le passé de cette fille du peuple et fille de peu, promptement accusée d'escamoter l'œuvre et le souvenir de la vénérée Jeanne-Irène, sinon de solder hâtivement son héritage. « Regrettable passade », prédisaient les plus amers. Peine perdue : depuis les épousailles, célébrées « dans la plus stricte intimité » le 23 avril de l'an de grâce 1994, l'improbable attelage que forment Paul Biya et Chantal Pulchérie Vigouroux a défié le temps et les tempêtes autant que ces sombres prophéties. Pour l'occasion, la belle plante étrangère au sérail portait une robe virginale et un diadème scintillant.

Si la fille de forestier franco-camerounaise n'est pas née coiffée, elle se rattrapera. De voyages officiels en dîners d'Etat, la chevelure de « Chantou », opulente et flamboyante crinière roux orangé parfois couronnée d'un chapeau venu d'ailleurs, suscite depuis des lustres sarcasmes et regards ébahis. Ebouriffée et ébouriffante, cette cascade de boucles et de mèches « amusait beaucoup Chirac », confesse

Michel de Bonnecorse, ancien « Africain » de l'Elysée. Le 14 juillet 2010, Henri Guaino, alors conseiller spécial de Nicolas Sarkozy, n'a pas dû voir grand-chose du défilé militaire sur les Champs-Elysées. C'est que dans la tribune VIP, l'auteur du calamiteux discours de Dakar et futur député des Yvelines avait été placé derrière Chantal… Sur le site de *Slate Afrique*, le dessinateur Damien Glez hasarda un jour dix hypothèses quant aux ressorts d'une telle énigme capillaire, défi à tous les Figaro et merlans de la terre, dont celles-ci : lors d'un passage à la foire du Trône, la Première Dame du Cameroun serait devenue accro à la barbe-à-papa ; elle a inhalé accidentellement une surdose d'hélium en inaugurant une course de montgolfières ; échaudée par la fuite de la très cupide Tunisienne Leïla Ben Ali, elle aurait adopté une coiffure assez ample pour y planquer en cas de malheur sa collection de bijoux.

Audacieuse jusqu'à l'extravagance, la garde-robe de Madame est à l'unisson de son panache. Dans sa retraite vaticane, Benoît XVI se souvient sans doute de cette visite pastorale à Yaoundé, en mars 2009. D'autant que la coiffe de son hôtesse, foulard aux reflets rose et mauve pâle orné de croix et savamment noué, concurrençait en majesté sa mitre papale. Avec son madras maison, son bustier de dentelle échancré, ses créoles géantes et son sourire de gamine émerveillée, cette Chantal aux anges – quoi de plus naturel en la circonstance ? – aurait pu ce jour-là tourner un clip promotionnel pour le rhum antillais. Prédécesseur à la curie de Joseph Ratzinger, le défunt Jean-Paul II eut en son temps l'occasion de goûter lui aussi à la simplicité toute franciscaine de Chantou. Laquelle, à la question du pontife polonais « Comment allez-vous ma fille ? », répondit au grand dam de son époux par un très instinctif : « Je vais bien, Monsieur le Pape. »

## La muette du sérail

Si la tignasse oscille, au gré des saisons, entre le feu, le brun et le châtain, la palette vestimentaire, elle, dénote un singulier culot, qu'il s'agisse de la matière – mousseline, tulle et frous-frous compris – ou des coloris. Rouge vif, rose fuchsia, jaune d'or, bleu électrique : toute la gamme du « flashy » y passe. En juillet 2010, sur le perron de l'Elysée, on a ainsi vu Chantou éclipser toutes ses homologues au sortir d'une réunion de Premières Dames, à commencer par la reine du « Château » : que pouvaient les talons plats et l'austère robe gris souris de Carla Bruni-Sarkozy face à l'ensemble tunique pantalon orange travaux publics sur chemisier en vichy pourpre de Chantou ? Mais il y eut mieux : ce jour de janvier 2013 où, parée d'une veste à plaquettes métalliques digne d'un mobile de Calder, Mme Biya reçut les vœux des épouses d'ambassadeurs en poste à Yaoundé, plantée près d'un sapin croulant sous boules et guirlandes. Allez savoir qui, de l'arbre de Noël ou de la maîtresse de céans, était alors le plus décoré… Les accessoires et le maquillage sont bien entendu à l'avenant, des pendants d'oreilles longs comme un jour sans foufou aux lèvres carmin, *via* les interminables sourcils fine-ment dessinés. Même si le visage, comme poudré de blanc, intrigue par sa pâleur de porcelaine.

Que cachent donc ces atours baroques ? « Une chic fille », avance un diplomate familier du palais de l'Unité d'Etoudi. « Un cœur d'or », renchérit son amie Patricia Balme, conseillère en communication de l'époux Paul[1]. Eloges corroborés par la plupart de celles et ceux qui l'ont côtoyée. Tous esquissent le portrait d'une femme au naturel modeste, généreux, simple et un tantinet midinette. Mais aussi, fût-ce en creux, celui d'une hors-caste un peu seule, étouffée par les pesanteurs du protocole, méfiante envers la clique des courtisans, leurs intrigues et leur duplicité, voire terrorisée à l'idée de subir les maléfices d'un marabout de palais. « Je me souviens, raconte un conseiller élyséen, d'un dîner officiel au cours duquel j'avais vainement tenté de lui arracher une phrase. Hormis un "Oui" ou un "Non" chuchoté de temps en temps, rien. Un peu comme si son époux lui avait interdit d'ouvrir la bouche. Pour autant, elle peut s'illuminer sur un bon mot et ne dédaigne pas, dans les coulisses d'un sommet Afrique-France, amuser ses homologues de quelques blagues. » En confiance, il lui arrive même de « se lâcher ». En juin 2011, lorsque les époux Biya accueillent à Mvomeka'a 200 chanteurs, musiciens et acteurs, poètes de cour venus prier Paul, le « candidat naturel des artistes », de briguer un énième mandat, Chantal paie de sa personne. La nuit venue, elle troque sa saharienne beige et son corsage léopard contre un ample boubou aux couleurs du Rassemblement démocratique du peuple camerounais (RDPC) et file au centre commercial

---

1. Entretien avec l'auteur, 9 octobre 2012.

du coin danser en escarpins blancs à hauts talons le bikutsi et le makossa au milieu de la cohorte des flagorneurs[2].

## *L'élixir de jouvencelle*

La vraie vie, on le sait, n'a rien d'un conte de fées. Et celle de Chantal, au temps de l'enfance, doit moins à Charles Perrault qu'à Emile Zola. Si la date de sa naissance – le 4 décembre 1970 selon certaines versions, l'année suivante selon d'autres – demeure incertaine, le lieu en est connu : Dimako, bourgade perdue dans l'immense forêt de l'Est camerounais. Son père, Georges Vigouroux, y officie pour le compte de la toute-puissante Société forestière et industrielle de la Doumé, ou Sfid. Sa mère ? Une jeune reine de beauté locale, prénommée Rosette, âgée d'à peine 15 ans lorsque l'expatrié français s'entiche d'elle. A en croire Bertrand Teyou, auteur d'une biographie iconoclaste[3], cette enclave baigne dans une atmosphère aussi lourde et poisseuse que le climat. Les Blancs y règnent et les Noirs y triment. Bien sûr, la petite métisse du quartier Dakar, élevée par ses grands-parents maternels, joue à pousse-pion et à tapis-vole, quitte à batailler contre les copains qui moquent son teint pâle. Mais elle découvre vite les ravages de la misère, de l'alcool, et l'implacable servitude de ses aînées, femmes-butins soumises au droit de cuissage,

---

2. *Slate Afrique*, 19 octobre 2011.
3. Bertrand Teyou, *La Belle de la République bananière. Chantal Biya, de la rue au palais*, Nation Libre, 2010.

voire à l'inceste. Et, dans le meilleur des cas, menacées d'abandon. Lorsque Georges les délaisse pour s'établir à Douala, Rosette et sa fille quittent la forêt pour la jungle urbaine de Yaoundé. Là, Chantal, belle plante exposée à la convoitise des mâles, enchaîne les gagne-pain. Tour à tour coiffeuse, barmaid, serveuse, apprentie mannequin ou modèle pour stylistes fauchés.

Aurait-elle alors monnayé ses charmes ? La rumeur, colportée jusque dans les allées du pouvoir, lui colle à la peau. « Comme tant de Camerounaises, nuance Teyou, elle ne refusait pas une aventure susceptible d'améliorer son quotidien[4]. » Dans son ouvrage, interdit au pays, l'essayiste aujourd'hui réfugié à Paris évoque une liaison avec un *businessman* égyptien et la naissance de jumeaux « de père inconnu ». « Pas si inconnu que ça, nuance un opposant. Il s'agissait d'un chauffeur de taxi anglophone nommé Churchill Che, assassiné sur ordre. » Version controversée. Au détour d'un long portrait publié en janvier 2014, l'hebdomadaire *Jeune Afrique* avance que les deux fils, prénommés Patrick et Franck et aujourd'hui âgés de 25 ans, ont pour père l'homme d'affaires Louis Hertz, décédé en 2009[5]. « A cette époque, poursuit Bertrand Teyou, Chantal avait tenté de renouer avec son propre géniteur. En vain, car ce dernier l'a éconduite. » De là à imaginer que « la Sirène de Dimako » vit aussi en Paul Biya, de 38 ans son aîné, un papa de substitution... Si Teyou dit vrai, l'infortune filiale n'aura eu qu'un

---

4. Entretien avec l'auteur, 6 août 2013.
5. Portrait signé Clarisse Juompan-Yakam et intitulé « Chantal Biya sans fard » (*Jeune Afrique*, 12 janvier 2014).

temps : selon « J.A. », Vigouroux a reconnu sur le tard le fruit de ses œuvres. Mieux, figure influente de la plate-forme portuaire de Douala, l'ancien forestier serait désormais de toutes les sorties officielles. Au point d'avoir séjourné en décembre 2013, sur fond de sommet Afrique-France de l'Elysée, dans la résidence camerounaise de la Villa Maillot, à Neuilly-sur-Seine. Un site très convoité. Remariée, l'envahissante Mama Rosette, qui veille avec un soin jaloux sur les intérêts de sa fille, l'aurait jadis réquisitionné pour y loger les jumeaux de Chantal ; tout comme elle annexa en partie le huitième étage de la chancellerie parisienne de la rue d'Auteuil. Une certitude : première magistrate de la commune de Bangou, en pays bamiléké, depuis 2007, l'ex-Miss Bertoua aura su se frayer un chemin digne de son rang de belle-mère nationale.

Si l'on en croit Michel-Roger Emvana, biographe déférent de Paul Biya[6], la rencontre entre le veuf anéanti et l'attrayante métisse doit beaucoup au hasard, et un peu à Azar : Elise de son prénom, épouse d'un neveu du président, c'est cette Libanaise de Yaoundé, décédée accidentellement en 1996, qui aurait invité son amie Chantal à la fameuse soirée du coup de foudre, prélude à une idylle secrète d'un an. « Une magnifique histoire d'amour, s'extasie Patricia Balme. Elle l'a ressuscité. Lui était dévasté, terré en son palais d'Etoudi. Fou d'elle, il l'a très vite emmenée à Venise. Pour lui faire découvrir l'opéra à la Fenice, mais aussi pour l'éloigner de sa cour, lui épargnant ainsi le rôle éprouvant de maîtresse

---

6. Michel-Roger Emvana, *Paul Biya, les secrets du pouvoir*, Karthala, 2005 ; cité par *Slate Afrique*, 9 mai 2011.

du chef. On avait voulu glisser tant de femmes dans sa couche... » « Le patron a rajeuni », chuchote-t-on alors au palais. « Elle a ramené Paul à la vie, confirme un ancien ambassadeur de France. Lui était sous le charme, bluffé par son naturel et ses audaces. » Et sourd aux mises en garde de son entourage, qu'elles émanent des services de renseignements ou de son fils Franck, réputé avoir fréquenté avant lui la promise, rencontrée paraît-il dans une boîte de nuit.

Au-delà de ce miraculeux bain de jouvence, l'idylle humanise quelque peu un chef d'Etat mutique, mystérieux et lointain. Au sens propre du terme : fréquents et prolongés, ses séjours en Europe lui vaudront le sobriquet d'« Omniabsent ». « Un vacancier au pouvoir[7] », ironisait l'africaniste Stephen Smith. Vieil estivant mais jeune père ; très vite, deux enfants viendront égayer le royal foyer : Paul Junior, né en 1995 dans une maternité de Clermont-Ferrand, et sa cadette Anastasie Brenda, ainsi prénommée en hommage à la mère adorée du président. Tous deux seront comme il se doit scolarisés à Versoix, sur les rives du lac Léman, moins loin de papa et maman qu'il y paraît. Car les Biya ont leurs habitudes à l'Intercontinental de Genève, tout comme à l'Hermitage Barrière de La Baule (Loire-Atlantique), théâtre d'une cure annuelle de thalassothérapie. Cure de thalasso, non de frugalité : en août 2009, le couple et sa suite occupaient 43 chambres. Facture quotidienne : 42 000 euros.

---

7. *Libération*, 16 février 1995.

*« Seule parmi les loups »*

L'insouciance n'a qu'un temps. Car le destin a planqué dans la corbeille de la mariée deux grenades dégoupillées. Primo, Chantal doit éclipser le souvenir de la défunte Jeanne-Irène Atyam, cette sage-femme que Paul épousa le 2 septembre 1961 à Antony, dans la banlieue parisienne, et qu'un décès soudain – une leucémie, dit-on – emporta trois décennies plus tard. Comment rivaliser *post mortem* avec celle dont chacun loue comme à dessein la modestie, la retenue et le raffinement ? A quoi bon écarter les fidèles de la défunte et rebaptiser « Chantal-Biya » le pavillon « Jeanne-Biya » de l'hôpital central de Yaoundé ? Il est vain d'espérer supplanter un fantôme à ce point encensé. Secundo, il lui faut encaisser les vilenies d'une nomenklatura qui persiste à juger illégitime cette Mademoiselle Sans-Gêne, lui concédant au mieux le statut d'épouse morganatique. Jamais le poison de la rumeur ne la lâchera.

Pour preuve, cet épisode libyen, relaté par Annick Cojean dans un ouvrage poignant consacré aux victimes des pulsions prédatrices de feu Muammar Kadhafi[8]. L'anecdote date de novembre 2010, à l'heure où le troisième sommet Afrique-Union européenne touche à sa fin. Le couple Biya, que l'auteure ne cite pas nommément, mais que les initiés identifient sans peine, s'apprête à rentrer au pays quand Mabrouka Shérif, mère maquerelle et rabatteuse du

---

8. Annick Cojean, *Les Proies. Dans le harem de Kadhafi*, Grasset, 2012.

Guide de la Jamahiriya, signifie à Chantal qu'elle est attendue à Bab al-Aziziya, ce palais-fortin où le fantasque bédouin a planté sa tente. « A 10 heures, raconte Cojean, le mari attendait son épouse dans un salon de l'aéroport. A 11 heures, elle n'était toujours pas là. Ni à midi. La gêne des employés du protocole et de la délégation était patente. L'épouse est arrivée à 13 h 30, désinvolte et souriante, la fermeture éclair de son ensemble moulant déchirée sur le côté. » « Dégueulasse, s'emporte une intime de la Première Dame. Bien sûr, Kadhafi était dingue. Qu'il ait tenté de se la taper, après tant d'autres, c'est possible. Mais elle aurait été incapable de faire ça. D'ailleurs, ce ragot récurrent la fout par terre. » La même amie le concède : Chantal se montre volontiers d'une jalousie maladive. Il n'est pas bon, quand on porte jupon, papillonner autour du chef de l'Etat. Une beauté béninoise, pourtant parrainée par Mathieu Kérékou, alors président de l'ex-Dahomey, s'en souvient encore. « Je devais accueillir la demoiselle à son arrivée à Yaoundé, raconte un ex-conseiller dudit Kérékou. La veille, je reçois un appel glacial de Chantal. "Inutile d'aller la chercher, m'assène-t-elle. Cette fille prendra le bus comme tout le monde." Moralité, ma visiteuse n'a jamais vu Biya, mais a été reçue par sa femme, qui l'a humiliée comme une domestique. »

Féroce ? « Non, objecte Patricia Balme. Seule parmi les loups. De toutes les Premières Dames que j'ai connues, elle est à coup sûr la plus gentille et la plus sensible. Trop sans doute pour ces salauds de pseudo-conseillers toujours avides de lui révéler l'irruption auprès de Paul d'une nouvelle maîtresse imaginaire. Voilà ce qui l'a rendue méfiante, limite parano, au point de changer de portable dès que son numéro circule. Souvent trahie, elle n'a que peu d'amis. Chantal ne méritait pas ça. Au fond, elle aurait été plus heureuse dans une autre vie. Et je parierais qu'elle n'a qu'une hâte : parvenir au dernier jour du dernier mandat. »

*Lady Dimako*

Qui l'eût cru ? La presse privée camerounaise se délecte des colères, bouderies et rebuffades de la volcanique Chantou. Au point d'avoir narré par le menu cette énigmatique scène de la vie conjugale, survenue le 5 octobre 2012 en la chapelle Saint-Etienne de Mvomeka'a[9]. On y célèbre ce jour-là les obsèques du patriarche Benoît Assam Mvondo, frère aîné du président. A l'instant où le célébrant invite les fidèles à échanger un signe de paix, Paul se tourne vers son épouse en lui ouvrant les bras. Et là, stupeur : Chantal, lit-on, « le repousse énergiquement d'un revers de la main droite » avant de s'éclipser, puis de réapparaître, la mine renfrognée. A la fin de l'office, précise le reporter, elle croisera ostensiblement les bras afin de ne pas avoir à saluer les ministres présents, avant de s'engouffrer dans la Mercedes présidentielle, où certains témoins jurent l'avoir aperçue en pleurs tandis que son époux la sermonnait. Au rayon des tocades, une mascotte à plumes tient son rang : le facétieux perroquet du palais, enclin à s'éclipser au grand dam de Madame. Un après-midi de mars 2013,

_____

9. *Le Messager*, 12 octobre 2012.

la fugue du psittacidé plongea sa maîtresse dans un courroux tapageur et tout le personnel se vit sommé de se lancer à sa recherche. Trois heures plus tard, le volatile daigna enfin réapparaître et le pédicure de la *First Lady*, qui faisait antichambre, put enfin officier.

A cette époque, relèvent les vigies du village franco-africain, on a autant de chances de croiser la Première Dame dans le hall du Plaza-Athénée, palace parisien, que dans les couloirs d'Etoudi. Il est vrai qu'entre accès de lassitude et check-up médicaux à l'Hôpital américain de Neuilly-sur-Seine, Chantou a pris le pli de disparaître des écrans radars camerounais pour faire escale sur les bords de Seine. « Elle a besoin de respirer, avance Bertrand Teyou. De fuir un protocole étouffant. » Les fâcheries, parfois, prennent un tour politique. Tel fut le cas fin 2012, lorsque Chantal reprocha à son conjoint, potentat vieillissant, de ne pas préparer sa succession et d'embastiller tous ses dauphins virtuels en vertu de l'opération Epervier, nom de code de la vaste rafle anticorruption lancée dès 2004[10]. Il est vrai que, depuis lors, le noble rapace aura emporté dans ses serres, auxquelles Chantal tenta vainement d'arracher sa protégée Haman Adama[11], ex-ministre de l'Education de base, au moins autant de rivaux réels ou supposés que d'officiels stipendiés.

---

10. *La Lettre du Continent*, 23 janvier 2013.

11. Incarcérée en 2010, Haman Adama sera néanmoins libérée en septembre 2013 après la restitution de l'équivalent de 324 000 euros et l'abandon des poursuites pour « détournement de fonds » qui la visaient (*Jeune Afrique*, 29 septembre 2013).

« Cette femme a encaissé beaucoup de coups, observe un ancien chef d'Etat ouest-africain. D'où, sans doute, son investissement dans l'humanitaire et le social. » « Elle, au moins, se souvient d'où elle vient, insiste en écho la communicante Patricia Balme. Et préférera toujours la compagnie des femmes et des enfants à celle des officiels. Hôpitaux, orphelinats, maternités : partout où vous la suivez, Chantal suscite une incroyable ferveur. C'est la Lady Di du Cameroun. Même si elle invoque plus volontiers le modèle de Mère Teresa. » Au regard du tragique épilogue du passage ici-bas de la princesse de Galles, on la comprend...

Nul besoin de troubler l'éternel repos de Diana et de Teresa : si elle se rêve en reine thaumaturge, sans doute la « Rose de Dimako » soigne-t-elle aussi les maux d'autrui pour mieux panser ses propres blessures. Dès 2001, elle enfourche un increvable cheval de bataille : la lutte contre le sida, notamment en matière de transmission de la mère à l'enfant. Avec, d'emblée, cet exploit : jouer les hôtesses quand sonne l'heure de la paix des braves entre le Français Luc Montagnier et l'Américain Robert Gallo, qui se disputent alors la paternité de la découverte du virus. « Pour moi, tranche à l'époque un officiel onusien, Chantal Biya est l'une des stars de la lutte contre la pandémie dans le monde. » Sur le continent en tout cas : les 15 et 16 novembre 2002, au côté de Nane Annan, l'épouse scandinave du secrétaire général des Nations unies de l'époque, elle accueille à Yaoundé la conférence inaugurale de Synergies africaines contre le sida et les souffrances, forum de Premières Dames engagées sur le front de ce fléau. Union sacrée ? Pas

tout à fait. Médecin de formation, Edith-Lucie Bongo
décline alors l'invitation et lance une structure rivale,
baptisée OPDAS, Organisation des Premières Dames
d'Afrique contre le VIH/sida.

Huit ans auparavant Chantal avait porté sur les
fonts baptismaux sa fondation « à but non lucratif,
apolitique, et non confessionnelle », reconnue d'uti-
lité publique par décret en date du 30 avril 1999,
puis élevée en 2003 au rang d'organisation internationale, ce qui lui vaut exemption fiscale et immunité diplomatique. Devise de la FCB : « Un sourire
pour la mère, un espoir pour l'enfant malade et de la
solidarité pour tous. » Trois ans plus tard, le couple
présidentiel inaugure à Yaoundé le Centre international de référence Chantal-Biya pour la recherche sur
la prévention et la prise en charge du VIH/sida, ou
CIRCB, en présence de Luc Montagnier, qui en préside le conseil scientifique, de Viviane Wade (Sénégal) et de Chantal Compaoré (Burkina Faso). « C'est
aux femmes, assure à cette occasion la marraine de
cette vitrine, de lutter contre le sida, car les hommes
ne le font pas. Elles doivent apprendre à négocier leur
sexualité et à protéger leurs enfants[12]. »

## Un site en friche

Si ladite fondation fut et demeure le principal
vecteur d'influence de Madame, l'internaute qui
s'aventure sur son site bilingue – français et anglais –
encourt une cruelle désillusion. En page d'accueil, il

---

12. *Paris-Match*, 2 mars 2006.

découvrait début 2013, sur fond rose, les vœux de la « présidente fondatrice » pour l'exercice… 2009. Les rubriques « Partenaires » et « Contacts » ? Vides l'une et l'autre. Au chapitre « Nos événements en janvier », seule figure la mention « Calendrier inactif ». L'agenda des activités vaut à peine mieux : on y déniche trois archives datant de 2008, dont la célébration simultanée de 100 mariages à Mindourou (centre)… Voyons donc les audiences de l'époque : Danielle Mitterrand, Miss Cameroun et ses trois dauphines, le prix Nobel de médecine Françoise Barré-Sinoussi, puis, l'année suivante, l'actrice Mia Farrow, ambassadrice de bonne volonté de l'Unicef, l'agence onusienne pour l'enfance. Vouée quant à elle à l'éducation, à la science et à la culture, l'Unesco a décerné en mars 2009 à Chantou un titre analogue, comme l'atteste cette vidéo où l'on voit la récipiendaire, appliquée et hésitante, minauder ses remerciements, la voix altérée par l'émotion. Le sondage en ligne sur l'action de la FCB laisse lui aussi perplexe : un tiers des 605 suffrages recueillis en près de quatre ans la jugent « Excelente » (*sic*), un bon quart « Bonne », mais 41 % des votants ont coché la case « Beaucoup à faire ». Manque de fonds ? Pas vraiment. Ici comme ailleurs, les sociétés d'Etat et les opérateurs étrangers sont invités à verser leur écot. C'est ainsi que le groupe français Bolloré signa en février 2008 un accord de partenariat avec la fondation[13]. Au besoin, et au risque du détournement d'objet, on puisera dans les deniers publics. Le Fonds spécial d'équipement et d'intervention intercommunale (Féicom),

---

13. *La Lettre du Continent*, 17 juillet 2008.

censé financer des chantiers municipaux, s'est délesté à son profit de dizaines de millions de francs CFA. En décembre 2006, les avocats d'un officiel poursuivi pour corruption pousseront l'audace jusqu'à demander à la cour d'entendre Chantal soi-même. En vain bien entendu. Dommage : la confusion des genres – et des caisses – relève au Cameroun de l'affection chronique. Elle valut d'ailleurs à Jean Stéphane Biatcha, secrétaire exécutif de Synergies africaines et président du comité de gestion du CIRCB, quelques tracas, assortis d'une disgrâce passagère. Aux dires de ses détracteurs, l'intéressé aurait puisé dans les coffres afin de huiler les rouages de la campagne présidentielle de Paul Biya, version 2011, et, ajoute un dissident, « de mener grand train à Paris ».

La frontière entre l'humanitaire et le politique, on l'aura compris, manque pour le moins d'étanchéité. Témoin, le Cercle des amis du Cameroun (Cerac), apparu en 1995, autre ONG à vocation caritative présidée par Chantal, présentée comme un « outil d'appui au développement et de soutien aux efforts de son illustre époux ». Réservée à l'origine aux femmes de diplomates en poste à Yaoundé, cette amicale a ensuite élargi son recrutement aux compagnes de ministres influents et aux étoiles de la haute bourgeoisie du cru. On lui doit des distributions d'équipements agricoles et de sacs de riz aux paysannes, ou encore les « Ecoles des Champions », établissements pilotes lancés avec le concours d'un éditeur scolaire français et du Pari mutuel urbain local. Les esprits chagrins relèveront que le premier du genre a vu le jour à Dimako, lieu de naissance de Chantal, et le

deuxième à Nanga-Eboko, fief de Maman Rosette[14].
Charité bien ordonnée commence par les miens...
Quant au complexe scolaire « Les Coccinelles », ouvert
en théorie aux orphelins de toutes conditions et dont
Chantal ne manquerait pour rien au monde l'Arbre de
Noël annuel, il a été aménagé dans l'enceinte même
du palais de l'Unité. Plus noble conquête de l'homme,
le cheval fut aussi, dans l'arène de la collecte de
fonds, la plus altière monture de la Première Dame.
Du moins au temps où l'hippodrome de Vincennes
accueillait le Grand Prix de l'amitié France-Afrique
du PMU. Chantal Biya fut en mai 1998 la reine de
la quatrième édition de ce happening mondain, pré-
sidant un très œcuménique « comité d'honneur » au
sein duquel se coudoyaient Claude Pompidou, Anne-
Aymone Giscard d'Estaing, Danielle Mitterrand et
Bernadette Chirac[15].

## Courbettes

Si, comme le soutiennent maints camerounologues,
Chantal Pulchérie Vigouroux, épouse Biya, a su préserver un peu de sa spontanéité, grâce lui en soit rendue. Car l'infernal carrousel des caudataires n'épargne
guère celle que le journal *La Nouvelle Expression* éleva
le plus sérieusement du monde en 2002 au rang
d'« homme de l'année ». Fleuron de cette chantouma-
nia, l'hagiographie intitulée *Chantal Biya, la passion
de l'humanitaire*, parue en 2008 chez Karthala sous

14. *La Lettre du Continent*, 6 décembre 2001.
15. *La Lettre du Continent*, 26 mars 1998.

la plume émerveillée de Béatrix Verhoeven. Passion précoce : on y apprend ainsi que l'héroïne « avait déjà le cœur sur la main à l'âge de 3 ans ». Directeur de Karthala, Robert Ageneau admettra que la fondation Chantal-Biya a « acheté par centaines » cet ouvrage, « initié par le sérail progouvernemental[16] ». Trois ans plus tôt, le même éditeur avait publié un essai biographique à la gloire de Paul, dans lequel, avec une lucidité rétrospective qui force l'admiration, un astrologue jugeait Madame, « née pour gravir les échelons de la société[17] », grâce à la bienveillance conjuguée de Mars et de Mercure. Quant aux griots favoris du palais, ils font bien entendu assaut de révérence envers celle qu'il convient de parer du titre d'« Excellence ». Connue pour ses couplets lestes, la chanteuse populaire K-Tino a rengainé sa gouaille pour voler au secours de « Maman Chantal ». « Si quelqu'un la touche, menaçait-elle à l'orée du IIIe millénaire, je vais me fâcher[18]. » Ferveur identique chez le professeur Gervais Mendo Zé, auteur de l'impérissable *Mbamba Esae*, hommage en langue bulu à « l'œuvre grandiose » de celle qui daigne « descendre de [son] trône pour [se] rabaisser au niveau des misérables ». A la veille de la présidentielle de 2004, on vit éclore au côté du Cercle des anciens camarades de Chantal Biya (CACB) un bouquet d'associations aux acronymes improbables, telles que la Jeunesse active pour

---

16. *Le Monde diplomatique*, mars 2010.

17. Michel-Roger Emvana, *Paul Biya, les Secrets du pouvoir, op. cit.*

18. Cité par Fred Eboko dans la revue *Politique africaine*, n° 95, octobre 2004.

Chantal Biya (Jachabi) ou les Jeunes de la Haute-Sanaga pour le soutien au couple Biya (Jascoby).

Malheur à quiconque ose écorner l'auréole de sainte Chantou. Auteur du brûlot grandiloquent et volontiers outrancier cité plus haut[19], Bertrand Teyou, arrêté en novembre 2010 à Douala, croupira six mois dans le pénitencier de New Bell. Pire, ce polémiste réfugié en France au terme d'une errance qui le mena à Mexico puis en Suisse, a perdu sa fillette Meredith dans l'incendie, « suspect » à ses yeux, du domicile où il avait logé sa petite maison d'édition. « Bizarrement, souligne-t-il, Chantal n'a pas porté plainte. Ce qui ne m'a pas dispensé d'être condamné pour outrage à fonctionnaire et manifestation illégale, et de voir mon stock de bouquins détruit. »

Pour l'outsider, l'accès à la Première Dame demeure aléatoire. En réponse à sa demande d'entretien, confiée à l'ambassadeur du Cameroun à Paris Lejeune Mbella Mbella, l'auteur de ces lignes a reçu en date du 24 janvier 2013 une réponse ainsi libellée, majuscules abusives comprises : « L'ambassade du Cameroun en France vous remercie pour l'intérêt que vous portez à l'Action sociale et humanitaire de la Première Dame Camerounaise et souhaite, par la présente, vous confirmer que ladite Demande a été transmise ce jour à Son Illustre Destinataire. » Dix mois après, et malgré diverses relances, rien : l'Illustre Destinataire demeurera hors d'atteinte.

---

19. Bertrand Teyou, *La Belle de la République bananière. Chantal Biya, de la rue au palais*, op. cit.

## Mieux Lothar que Jany

Postiche, soit. Potiche, non. On peut fort bien priser les pièces montées capillaires sans pour autant se borner à jouer les figurantes dans l'arène politique. En la matière, la novice de Dimako aura trouvé en la personne du Sphinx d'Etoudi – l'un des surnoms usuels de « Popaul » Biya – un précepteur émérite. « Ni nunuche ni idiote, confirme un ancien "Africain" de l'Elysée. Une femme adorable tenaillée par une quête éperdue de respectabilité. Auprès d'un homme au charisme de banquier suisse, sa flamboyance un peu vulgaire lui confère un rôle essentiel. » Voire une mission de Casque bleu. Le 19 mai 2010, quand Blaise et Chantal Compaoré, invités aux festivités du cinquantenaire de l'indépendance camerounaise, débarquent à Yaoundé, le président burkinabé ne résiste pas à la tentation d'épingler le tropisme casanier de son hôte. « Alors, Monsieur qui ne va jamais chez les gens, lui lance-t-il, vous êtes satisfait ? » Ambiance… « On va venir, on va venir », s'empresse de glisser Chantou.

Présidente de l'Organisation des femmes du RDPC, avatar de l'ex-parti unique[20], la Première Dame veille sur le parcours d'un peloton de protégés, cousins ou

---

20. Le Rassemblement démocratique du peuple camerounais (RDPC) a succédé en 1984 à l'Union nationale camerounaise (UNC), parti unique fondé dès 1960 par Ahmadou Ahidjo, premier président de l'ère de l'indépendance. Sans surprise, le RDPC a dominé les scrutins législatif et municipal du 30 septembre 2013.

pas, et masque à peine le mépris que lui inspire la cohorte d'intrigants zélés gravitant autour de son mari. A en croire Etienne Tchapda, professeur de sciences politiques à l'université de Yaoundé, Chantal « fait et défait tous les dignitaires du régime ». « Elle est allègrement tombée dans tous les travers du clanisme et du népotisme, insiste-t-il. Un certain nombre de postes clés dans la haute administration, les sociétés parapubliques et le gouvernement sont tenus par des personnes originaires de sa région natale de l'Est[21]. » En 2009, Chantou aurait ainsi obtenu l'exfiltration vers New York de l'ancien chef du protocole d'Etat, aussitôt remplacé par Simon Pierre Bikélé, l'un de ses fidèles[22]. L'année précédente, à l'issue d'un échange informel avec un quatuor d'universitaires du cru, l'ambassadeur des Etats-Unis expédia à Washington un

21. *Slate Afrique*, 19 octobre 2011.

22. *La Lettre du Continent*, 12 février 2009. A en croire le portrait paru dans *Jeune Afrique* et déjà cité, plusieurs personnalités venues de l'est du Cameroun, région d'origine de Chantal, lui doivent en partie leur carrière. Parmi elles, l'ex-ministre Antoine Zanga, ambassadeur au Vatican, le journaliste Joseph Lé, promu directeur adjoint du cabinet civil à la présidence, ou l'ancien maire de Dimako, ville natale de Madame, Janvier Mongui Sossomba, porté en 2011 à la tête de la Chambre d'agriculture. Autres piliers du « premier cercle », le secrétaire général de la présidence Ferdinand Ngoh Ngoh et le ministre de la Jeunesse Pierre Ismaël Bidoung Mkpatt. L'hebdomadaire panafricain souligne néanmoins les limites de l'influence de la *First Lady*. Laquelle n'aura pu ni obtenir la disgrâce du patron du cabinet civil Martin Belinga Eboutou, qu'elle n'apprécie guère, ni entraver l'incarcération de l'ex-secrétaire général de la présidence Marafa Hamidou Yaya.

câble dans lequel – merci WikiLeaks – il se fait l'écho
de la crainte de ses interlocuteurs, enclins à voir en
Paul Biya l'otage de trois forces néfastes : son entourage, son ego et sa femme ; laquelle « n'a aucune envie
de renoncer au formidable pouvoir qu'elle détient ».

Pouvoir par défaut : au Cameroun comme ailleurs,
la Première Dame occupe le champ social abandonné
par un appareil étatique sclérosé, gangrené par la corruption, condamné à godiller entre émeutes urbaines
et simulacres électoraux. Avec, à la clé, ce paradoxe :
une « présidente » – ainsi la désigne-t-on volontiers
en haut lieu – plus visible dans l'espace public que
son fantomatique époux. La voici investie d'une mission de paratonnerre conjugal, ainsi définie par le
professeur Tchapda : « Faire oublier les rancœurs que
soulèvent l'inaction de son mari et l'extrême précarité
dans laquelle le régime a plongé les Camerounais. »
A elle les éclairs, les feux des projecteurs, les flèches
et les commérages. Dès lors, rien d'étonnant à la voir
s'aventurer jusqu'au cœur du stade, arène ô combien politique. Et pas seulement pour associer à ses
œuvres le footballeur Samuel Eto'o, buteur instinctif et machiste impénitent, ou financer les obsèques
de l'épouse de Roger Milla, autre légende des Lions
indomptables. Tout indique que la Première Dame,
par ailleurs marraine d'un critérium cycliste qui porte
son nom, a aussi son mot à dire quant au choix de
l'entraîneur national. « J'ai hélas perdu mon job au
Cameroun parce que la femme du président, qui voulait absolument m'avoir, a appris mon histoire[23] »,

---

23. Cité par Fanny Pigeaud dans un essai incisif intitulé
*Au Cameroun de Paul Biya*, Karthala, 2011.

confiera à l'été 2010 l'Allemand Lothar Matthäus. Son histoire ? La presse people venait de publier des photos de sa légitime épouse en compagnie d'un amant présumé. Double peine pour l'infortuné Ballon d'or 1990, capitaine de la « Mannschaft » lauréate cette année-là de la Coupe du monde…

Cela posé, il peut arriver à Chantou de manquer de discernement au point de s'égarer dans les marais fangeux de la basse politique. Tel fut le cas en mars 2007, lorsque l'épouse du chef de l'Etat réserva au nom de sa fondation un accueil princier à Jany Le Pen, flanquée d'une délégation de Fraternité française, faux nez caritatif du Front national. Tapis rouge, limousine officielle, réception sous les lambris du Salon oriental du palais de l'Unité, reportage au 20 heures, diaporama sur le site de la présidence : rien ne manqua. Pas même les vœux de succès à l'époux de Jany dans sa course à la magistrature suprême… Mais voilà : l'imposture ne survécut point à la publication, dans le quotidien *Libération*, d'une photo de ladite Jany crapahutant au côté du sinistre humoriste Dieudonné dans la forêt de Kribi, sanctuaire pygmée, vêtue d'un T-shirt aux couleurs du LPDR, le parti raciste russe de Vladimir Jirinovski. « Visite purement humanitaire et touristique », tentera de corriger le ministère de la Communication par le biais d'une mise au point lue à la télé d'Etat[24]…

Chaque 8 mars, au Cameroun, la Journée internationale de la Femme offre le prétexte à une gigantesque séance de transgression collective. Le beau sexe délaisse alors les gosses et le foyer pour écumer

---

24. www.bakchich.info, 23 mars 2007.

les bars en bandes tapageuses, éclusant force bières, sinon courant le gueux. Mais au petit matin, tous les carrosses décadents de mamans en goguette redeviennent citrouilles. A l'exception de la limousine plaquée or de la première d'entre elles. Reste à savoir si Chantou-Cendrillon attend ou redoute que résonnent les douze coups de minuit.

# Grace Mugabe

## L'arriviste d'Harare

Jusqu'à son dernier souffle, Richard Jones se souviendra de ce funeste 15 janvier 2009. Ce jeudi-là, le photographe britannique de l'agence Sinopix épie à Hong Kong, pour le compte du *Sunday Times*, les faits et gestes de la prénommée Grace, épouse du vieux satrape zimbabwéen Robert Mugabe, cet ancien guérillero de la lutte anti-apartheid saisi dès son accession à la présidence, en 1987, par les démons de la « mégalocratie ». Lorsque la *First Lady* de l'ex-Rhodésie du Sud[1], flanquée d'un garde du corps et

---

1. Colonie britannique à compter de 1923, la Rhodésie du Sud avait pour voisins le protectorat du Bechuanaland – l'actuel Botswana –, la Rhodésie du Nord – aujourd'hui Zambie –, le Mozambique et l'Afrique du Sud. La minorité blanche au pouvoir proclama unilatéralement l'indépendance du territoire en 1965, cinq ans avant de rompre tout lien avec la Grande-Bretagne. En 1980, après un bref retour sous la

d'une assistante, délaisse sa suite du Shangri-La, palace au luxe raffiné, pour une séance de *shopping* au gré des boutiques chic de Mody Road, Richard la prend en filature[2]. Mais voilà : celle que l'on surnomme au pays Disgrace – au choix, la Honte ou le Déshonneur – tient à se livrer à son péché mignon en toute quiétude. Furieuse, elle lâche son ange gardien sur le chasseur d'images qui, lesté de son arsenal de boîtiers et d'objectifs, tente vainement de trouver le salut dans la fuite. Le voici plaqué au sol, bataillant pour sauver l'appareil que le cerbère tente de lui arracher… C'est dans cette inconfortable posture qu'il voit fondre sur lui, écumant de rage et l'injure à la bouche, l'exquise Première Dame d'Harare. Laquelle ordonne à son *bodyguard*, bientôt rejoint par d'autres gros bras, d'immobiliser le *paparazzo*, dont elle pilonne le visage de coups de poing. Cuisante raclée pour l'intrus tant les bagues serties de pierres précieuses qu'enfile volontiers la compagne de l'inoxydable « Comrade Bob » lui lacèrent le visage.

Le harceleur au visage pâle, de surcroît sujet de l'ancienne puissance coloniale, ainsi boxé et scarifié au diamant : quel éloquent raccourci… Quatre ans plus tard, la pugiliste suprême, bien plus fortunée au demeurant que la Million Dollar Baby chère à Clint Eastwood, en faisait encore des gorges chaudes. Au détour d'un documentaire « intimiste » d'une risible complaisance, diffusé le 2 juin 2013

---

tutelle de Londres, la « république de Rhodésie » conquiert sa pleine souveraineté sous le nom de Zimbabwe.

2. Entretien avec l'auteur, 29 mai 2013.

sur la chaîne sud-africaine SABC-3, Grace gratifie la tablée familiale, ravie, du récit goguenard de son héroïque assaut contre notre fantassin de l'impérialisme : « J'ai alors dit "Trop c'est trop ! Pourquoi nous traites-tu ainsi. Qu'ai-je fait de mal ?" Ensuite, je lui ai couru après et je l'ai attrapé. J'ai commencé à le battre. Il me suppliait de lui rendre son matériel. Je n'ai rien répondu et j'ai continué de lui taper dessus[3]. »

A propos, quel bon vent, ou quelle mauvaise bourrasque, conduisit à l'époque l'ancienne secrétaire et maîtresse de Mugabe sur les rives de l'ex-colonie britannique, rétrocédée en 1997 à la République populaire de Chine ? Le « port aux parfums », dont Bona, la fille du couple, étudiante en comptabilité-gestion, fréquentait l'une des universités, n'était que le prologue d'une escapade asiatique. Mummy Grace ralliera ensuite l'un des îlots huppés de l'archipel malaisien de Langkawi puis Singapour. C'est que « The First Shopper » – la Première Acheteuse, autre sobriquet que vaut à l'intéressée sa frénésie consumériste proverbiale –, frappée depuis 2004 comme son époux par les sanctions de l'Union européenne, ne peut plus assouvir ses pulsions chez les tailleurs, chausseurs, joailliers et maroquiniers de Londres, Rome, Milan ou Paris. Plus question, hélas, d'empiler sacs et cartons dans les soutes du jet privé acheté à Hugh Hefner, le fondateur de *Playboy* ; ou dans celles d'un appareil de la compagnie nationale Air Zimbabwe affrété pour l'occasion. Il lui arriva même, au grand dam d'une centaine de passagers,

---

3. *The Guardian*, 24 mai 2013 (www.guardian.co.uk).

de dérouter un avion de ligne censé rallier Londres-Gatwick sur Barcelone, histoire de s'y procurer car-relages et sanitaires[4].

Privé d'Europe, le duo a donc jeté son dévolu sur les vaillants dragons d'Asie. Au point de s'offrir en 2008 un « Sam'Suffit » hongkongais de trois étages d'une valeur estimée à 4,5 millions d'euros. On lui prête aussi – mais on ne prête qu'aux riches – un pied-à-terre en Malaisie et un autre à Singapour, lieux de villégiatures favoris. Changement de cap et d'horizon justifié ainsi par Monsieur en marge d'un sommet sur la sécurité alimentaire, convoqué à... Rome, siège de la FAO, l'agence onusienne compétente en matière de nourritures terrestres : « Nous allons désormais regarder vers l'Asie, où le soleil se lève ; et tourner le dos à l'Occident, où le soleil se couche. » Cette volte-face souffrira quelques entorses : c'est qu'en son enclave vaticane, la Ville éternelle échappe aux lois diplomatiques d'ici-bas. Le 19 mars 2013, au terme de la messe inaugurale du pape argentin François, on vit ainsi Robert et Grace, coiffée pour l'occasion d'un éclatant turban turquoise, saluer avec déférence le successeur de Benoît XVI. S'offrir une bénédiction pontificale tout en narguant les censeurs occiden-taux : voilà ce qu'on appelle faire d'une basilique Saint-Pierre deux coups.

---

4. Adjo Saabie, *Epouses et concubines de chefs d'Etat afri-cains*, L'Harmattan, 2008.

## La princesse aux pieds fins

Sur le front des emplettes, Grace Mugabe, née Marufu, s'est parfois affranchie de la pudeur dévastatrice dont Richard Jones fit les frais. Un jour de razzia sur la Via Veneto, fameuse artère romaine où fut en partie tournée… *La Dolce Vita* de Federico Fellini, exaspérée par la horde de reporters qui l'escortait, elle les foudroya par ces mots : « Est-ce donc un crime que de faire du *shopping* ? » Question pertinente pour qui sait que le clan Mugabe a ruiné l'ancien grenier à blé de l'Afrique australe, désormais réduit à importer massivement riz et céréales, et qu'il régente à la cravache depuis trente-cinq ans un pays aux douze millions d'âmes dont les trois quarts croupissent sous le seuil de pauvreté et où une inflation stratosphérique ronge le très modique « pouvoir d'achat » des humbles. Dans le florilège maison, une autre repartie vaut son pesant de caviar. Celle qu'asséna Sa Majesté au journaliste qui s'étonnait de sa passion pour les chaussures hors de prix : « J'ai des pieds très fins, je ne supporte que les Ferragamo. » Voilà qui devrait lui valoir une place de choix dans le club très fermé des accros de l'escarpin, au côté de la diva philippine Imelda Marcos, passée à la postérité pour sa collection de hauts talons, ou de la Syrienne Asma el-Assad, épouse du boucher Bachar et fan des Louboutin aux semelles de cuir rouge sang. Quand elle veut s'amender, la reine à gros sabots et aux délicats petons pousse le zèle jusqu'à prétendre qu'elle dessine, taille et coud sa garde-robe. « Je fais mes vêtements moi-même et

je les vends[5] », clAIronne-t-elle parfois. Pour un peu,
on vous jurerait que The First Shopper cueille et file
en personne le coton de ses tailleurs moirés, de ses
boubous d'apparat et de ses chatoyants bandanas.
Une certitude : si elle dit vrai, les démiurges de la
haute couture devraient traîner illico en justice un tel
as de la contrefaçon. Et les écoles d'arts ménagers lui
ériger une statue : femme d'intérieur et *mater familias*
exemplaire, « Gucci Grace », autre pseudo éloquent,
affirme cuisiner elle-même, mais aussi laver et repasser de ses mains baguées le linge du foyer.

## La midinette et le boyfriend nonagénaire

Dans la mascarade télévisée sud-africaine évoquée plus haut, Grace arbore en toute simplicité une
robe bleutée à motifs floraux et un collier de perles ;
côté coiffure, point de foulard, mais des *dreadlocks*
– tresses rasta – à l'air libre. Sobriété dictée par le
« concept » de *People of the South*, le programme
qu'anime Dali Tambo, fils du défunt Oliver, héros
de la lutte anti-apartheid, compagnon de Nelson
Mandela et président en exil, trois décennies durant,
de l'African National Congress (ANC). Il s'agit de
s'inviter à la table d'un VIP africain et de recueillir
longuement, sur un mode familier et complice, ses
confidences. En clair, on ne cuisine l'hôte qu'à feu
doux. Cette fois, Tambo Junior, pionnier de la télé-
réalité surréaliste, officie en passe-plat empressé dans

5. *Mail & Guardian*, cité par *Courrier international*, 19 juin
2008.

la salle à manger familiale de State House, palais présidentiel au charme suranné de l'ancienne Salisbury[6], encore appelé la Maison Blanche. Le décor ? Nappe immaculée, bouquets de fleurs et couverts en argent. Le *casting* ? Robert Mugabe, 89 printemps, Grace, de 41 ans sa cadette, et deux de leurs trois enfants : l'aînée, Bona, vêtue de rose façon léopard, et leur fils Chatunga Bellarmine, en costume-cravate. Manque sur la photo Robert Junior, fêtard féru de basket-ball.

Un bénédicité, un « Bon appétit ! » en français dans le texte : la séance peut commencer. Touchant tableau de famille. Papa louange la docilité et la loyauté de sa fille, cette « agnelle » qu'il convient de protéger des « loups » qui la convoitent, puis fustige la paresse de son héritier mâle, évincé en début d'année du très select St George's College pour indiscipline chronique. Quant à Maman, elle menace en pouffant de rire de confisquer la PlayStation du fiston. Le clou du spectacle : ce moment où la quadra énamourée saisit les mains de Mister Bob et, les yeux dans les yeux, lui susurre cette tirade : « Tu es si tendre, si gentil, si généreux. Tu m'as en quelque sorte élevée et tu sais à quel point j'apprécie tout ce que j'ai pu faire grâce à toi. […] Je suis vraiment heureuse d'être ta femme et je me sens bénie d'appartenir à ta famille. » Rengaine récurrente. Déjà, en décembre 2012, en marge de l'inauguration d'un orphelinat, Grace avait

---

6. Fondé en 1890, Fort Salisbury fut baptisé ainsi en hommage au Premier ministre britannique de l'époque Robert Cecil, marquis de Salisbury. Capitale coloniale dès 1923, la cité deviendra sous le nom d'Harare celle du Zimbabwe indépendant.

loué la patience et le soutien inconditionnel de son mari mentor. « Lui m'épaule en tout, à l'inverse de ces hommes qui brident le talent entrepreneurial de leur épouse parce qu'ils veulent se sentir supérieurs. Chaque jour je remercie VaMugabe [formule respectueuse réservée, en langue shona, aux aînés[7]] d'avoir fait de moi la Première Dame du Zimbabwe. » La réplique du tourtereau quasiment nonagénaire suinte elle aussi l'eau de rose. « J'espère que nos proches apprennent de nous ce que doit être la vie maritale, surtout parmi les plus jeunes. Continue s'il te plaît d'aimer nos enfants mais bien sûr, par-dessus tout, d'aimer ce *boyfriend* nommé Robert Mugabe. » A vos Kleenex...

## Placards, amants et cadavres

Nul doute que ces roucoulades cathodiques auront amusé les initiés. Eux n'ignorent rien des joutes verbales homériques entre Comrade Bob et sa très entière moitié. Eux savent combien le ciel conjugal des Mugabe fut assombri de lourds nuages et zébré d'orages fracassants. Car Grace n'a pas toujours été – il s'en faut – d'une fidélité d'airain envers ce bienfaiteur qui a l'âge d'être son père, voire son grand-père. Pour preuve, avancent ses procureurs, sa

---

7. Le shona est la plus répandue des seize langues officielles du Zimbabwe. Elle est pratiquée par la communauté ethnique éponyme, laquelle représente plus de 75 % de la population, mais aussi en Afrique du Sud, en Zambie, au Botswana et au Malawi.

longue liaison avec le richissime Gideon Gono, baron de la Zanu-PF (Zimbabwe African National Union-Patriotic Front), le parti à la dévotion de Super Bob, ami d'icelui et gouverneur de la Banque centrale du Zimbabwe ; donc régisseur des caprices argentés du couple. La femme d'argent retrouvant en catimini le gardien des coffres… Scénario tentant, alimenté par les accusations que chuchota sur son lit de mort Sabina Mugabe, la sœur cadette de Robert, mais que nuance en ces termes un journaliste familier des intrigues de State House : « Si la rumeur était fondée à coup sûr, Gono serait un homme mort. D'après une de mes sources, il a fondu en larmes devant le président en jurant de son innocence. » Osons le raccourci : les placards du palais sont peuplés d'au moins autant de cadavres que d'amants. Il se murmure qu'un dénommé Caïn Chademana, officier affecté à la sécurité rapprochée de Madame, aurait péri empoisonné, payant ainsi de sa vie cette félonie : avoir omis d'informer le Boss de son infortune. « Fantasme, objecte un éditorialiste pourtant peu suspect de complaisance envers la Mugabe Inc. Tout porte à croire que Chademana fut emporté par le sida. » Il n'empêche : la chronique mondaine d'Harare attribue à l'épouse comblée d'autres aventures. Notamment avec l'homme d'affaires Peter Pamire, disparu en mars 1997 dans un accident de voiture réputé « mystérieux », mais que son entourage impute au sabotage des freins de son Pajero Mitsubishi. Ou avec James Makamba, qui vit en exil depuis 2005 entre les bords de la Tamise et sa retraite sud-africaine ; accusé de détournement de fonds et d'évasion de capitaux, cet ancien député Zanu-PF avait fui le Zimbabwe – et le courroux présidentiel – à la faveur d'une remise en liberté sous caution. Garde du corps (du délit), voilà un métier à risques au Mugabeland : chef de l'unité de protection de la police et aide de camp, Winston Changara a succombé en 2006 à un mal obscur. L'année précédente, Grace avait obtenu son éviction, l'accusant d'avances malséantes. A ses amis, le banni livra alors une tout autre version : il aurait menacé de dévoiler à qui de droit les infidélités de la Dame. Les esprits forts y verront un acte manqué : quand, en février 2013, Robert Mugabe fêta avec un faste obscène ses 89 printemps, on lui offrit entre autres cadeaux 89 têtes de bétail, tandis que 89 ballons dirigeables prenaient leur envol. Tant de bêtes à cornes pour un homme trompé, était-ce du meilleur goût ?

## Quand Gigi détrône Sally

De ces incartades réelles ou supposées, il ne fut bien entendu nullement question dans la bouche, ourlée au demeurant d'une fringante moustache, de Dali Tambo. En revanche, l'animateur aura eu l'audace de convier lors de ce déjeuner servi show un spectre : celui de l'universitaire ghanéenne Sally Hayfron première épouse de Comrade Bob, décédée en 1992. Laquelle se mourait d'un cancer du rein à l'heure où son mari s'essayait à la bigamie avec son accorte secrétaire, dont on avait pris soin d'éloigner le mari. En l'occurrence un pilote de chasse réputé du nom de Stanley Goreraza, expédié en mission à l'ambassade du Zimbabwe à Pékin, où il officiera longtemps comme attaché militaire. Loin des yeux… L'exilé ne

fut pas même autorisé à assister au mariage de Rus-
sel, le fils qu'il eut avec Grace. Puisqu'on en est aux
bans et aux alliances, restons-y. Quand, quatre ans
après le décès de Sally, Mugabe épouse en grand arroi
son ex-assistante en l'église de Katuma College, et en
présence de Nelson Mandela, deux enfants sont déjà
nés de leur union semi-clandestine. Mais les accents
de la marche nuptiale couvrent les grincements de
dents de la hiérarchie catholique locale. Le voyage de
noces sera tout aussi grandiose : étalé sur dix mois,
il conduira notamment les jeunes mariés en Italie, en
Grande-Bretagne, en Allemagne, en Autriche et à la
Jamaïque[8]. « Avec Sally, tranche un ancien chef d'Etat
ouest-africain, Mugabe marchait droit. Loin d'elle, il
est tombé sous l'exécrable influence de cette cupide
compagne. A ceux qui s'étonnaient de sa dérive, je
répondais toujours ainsi : cherchez la femme. »

Sa double vie, le roi Robert la narre à l'écran avec
une élégance rare, feignant de refouler un sanglot.
*Verbatim* : « Tandis que Sally vivait ses tout derniers
jours, et bien que cela ait pu paraître cruel à certains,
je me suis dit bon, ce n'est pas seulement moi qui ai
besoin de descendants ; car ma mère me demandait
tout le temps si elle allait quitter ce monde sans avoir
vu de petits-enfants. J'ai donc décidé de faire l'amour
avec Grace. Il se trouve qu'elle était l'une des plus
proches et qu'elle était divorcée [là, Bob anticipe un
peu : la rupture formelle surviendra ultérieurement].
Et voilà. Nous avons donc eu notre premier bébé
du vivant de ma maman. » Il convient de saluer au

---

8. Adjo Saabie, *Epouses et concubines de chefs d'Etat africains, op. cit.*

passage le sens pratique de celui qui choisit sa secrétaire en guise de « deuxième bureau », nom de code
de la maîtresse régulière en Afrique. Vénérée par les
gens de peu, Sally l'agonisante aurait-elle adoubé sa
rivale ? « Je lui en ai parlé, avance Mugabe Senior, et
elle est restée calme, mais m'a demandé si je l'aimais
toujours. J'ai répondu oui. "Alors, ça va", a-t-elle dit. »
On ne fait pas plus délicat. Ce gentleman mesure-t-il
seulement la sinistre *vis comica* de ses aveux ? Pas sûr.
Peu avant, à l'instant de dresser le portrait-robot du
gendre idéal, le patriarche avait entonné aux dépens
de sa très chère fille Bona un tonitruant hymne au
machisme. « Elle aura des gamins et l'essentiel de ce
qui fait son charme disparaîtra. Il ne faudra pas que
[son compagnon] la compare alors à des femmes plus
jeunes. Ce que font la plupart des gens. Et voilà comment on a tant de divorces. » Sigmund Freud, si tu
nous entends…

La moue boudeuse, la mine renfrognée, le regard
hautain dissimulé derrière des lunettes noires de
marque : la *First Lady* ne consent guère d'efforts
pour adoucir son image. « Je me fiche de ce qu'on
dit de moi », proclame volontiers celle qui assimi-
lait en novembre 2015 le port de la minijupe à une
incitation au viol. Profitons-en. Les poètes de cour
d'Harare peuvent bien décerner à Grace, 48 ans
et toutes ses dents, le titre d'*Amai*, ou Mère de la
Nation. Jamais elle n'effacera du cœur des « Zim-
bos » – les Zimbabwéens – la défunte Sally. Jamais
la villageoise parvenue, la voleuse de mari cupide,
n'éclipsera la vaillante militante au pedigree révolutionnaire impeccable, qui connut la prison et
l'exil. Jamais l'usurpatrice, titulaire d'un diplôme de

littérature anglaise et d'un doctorat en philosophie bidon, ne supplantera l'intellectuelle engagée, dont l'influence apaisante tempérait les foucades d'un mari colérique. Qu'il paraît loin alors le temps où Robert bombardait Harold Wilson, Premier ministre du tuteur colonial britannique, de lettres et de télégrammes aussi déférents qu'argumentés, l'implorant de ne pas extrader vers la Rhodésie la compagne qu'il avait rencontrée dans l'école de la Gold Coast – le futur Ghana – où tous deux enseignaient… Dans ses suppliques, le plaideur invoquait d'ailleurs le chagrin infligé à son épouse d'alors par la mort, en 1966, d'un gamin de trois ans terrassé par la malaria. Sans doute la sage Sally, si elle avait vécu, aurait-elle incité Robert à passer la main à temps. Dénouement incongru pour Grace-la-Gloutonne. « Le président ne partira pas, confiait en février 2009 à *Jeune Afrique* un ministre anonyme. Pas maintenant : la *First Lady* est jeune et elle n'a pas encore fini son *shopping*. » Bien vu : le 31 juillet 2013, le vétéran décrochera un nouveau mandat, écrasant dès le premier tour, et fraudes à l'appui, son opposant historique Morgan Tsvangirai, fondateur du Mouvement pour un changement démocratique (MDC), imposé quatre ans plus tôt à la primature au terme d'un compromis bancal[9].

---

9. Lire le pénétrant portrait de Robert Mugabe publié dans *Le Monde* du 6 août 2013 sous la plume de Jean-Philippe Rémy.

*Miss Monopoly*

Gare à l'imposteur qui ose ainsi briguer la présidence. « Ce Tsvangirai est si affreux ! tonna Grace durant la campagne. Jamais il ne mettra les pieds à la Maison Blanche. » L'imprécatrice exerce-t-elle pour autant une quelconque influence politique sur son président d'époux ? Aucune, tranchait naguère le chœur des analystes. « A la différence de Sally, elle n'a ni passé révolutionnaire, ni légitimité militante, ni formation », constate l'un d'eux. « Grace a tenté un temps de se frayer un chemin au sein de la Zanu-PF, avec le concours d'une poignée de barons du parti, précise en écho un politologue. Mais en vain. Trop impopulaire dans l'appareil. » Erreur. En décembre 2014, à la faveur du congrès du parti, elle accèdera aux manettes de la Ligue des femmes, donc au politburo de la machine de guerre programmée pour garantir en 2018 à « Bob » un énième bail. Avant même cette consécration, certains diplomates en poste à Harare lui prêtaient des attributs de vigile. A les en croire, Grace contrôlerait avec l'aide de son cher Gideon Gono l'accès au grand homme, son agenda et, en partie au moins, le flux d'informations qui lui parvient. « A la mort de Mugabe, ironise en écho Francis Soler, rédacteur en chef de *La Lettre de l'océan Indien* et fin connaisseur de l'Afrique australe, mieux vaudrait pour elle filer à Singapour. Sous peine de finir tondue. Avec cette jouisseuse, on est aux antipodes de l'archétype de la dame patronnesse[10]. » Sur ce

10. Entretien avec l'auteur, 12 octobre 2012.

registre, il est vrai, Grace s'en tient au service minimum : une inauguration d'œuvre caritative de temps à autre, la présidence d'une fondation de réinsertion des enfants handicapés ou déshérités et un plaidoyer à l'emporte-pièce de loin en loin. « Il est grand temps que les Premières Dames disent au monde que le sida est une maladie comme les autres », hasarde-t-elle ainsi en 2000, lors d'un sommet réuni à Maputo (Mozambique). Harare *humanum est...*

Laissons donc les alcôves, les antichambres et leurs secrets pour la jungle à peine moins féroce du *business*. Dans la version australe des agapes mondaines et télévisées chères, naguère, sous nos frimas et sur Paris Première à Thierry Ardisson ou à Laurent Baffie, Grace Mugabe claironne en ces termes son altruisme : « J'ai toujours essayé d'user de mon statut au bénéfice des moins privilégiés de ce pays, et quoi que je fasse, glisse-t-elle à son vieux conjoint, j'agis pour accompagner les efforts que tu accomplis. » On en pleurerait. Larmes de rire ou larmes de rage ? La voracité de « Gigi » – autre surnom usuel – ne vise pas que les vitrines des bijouteries. A preuve, ses appétits fonciers. Selon des sources locales, le couple possède une quinzaine de domaines agricoles, confisqués pour la plupart – *via* des hommes de paille et de foin si besoin – à la faveur de l'expropriation de fermiers blancs, cibles prioritaires d'une calamiteuse réforme agraire[11].

---

11. Amorcée dès 2000, intensifiée à partir de 2003, l'éviction massive et brutale des propriétaires terriens blancs obéissait à des impératifs idéologiques et clientélistes et causa le naufrage de l'agriculture zimbabwéenne. Les exploitations

Fleuron défraîchi de ce patrimoine, le site de Neverland, *alias* Graceland, dont on ne saura jamais vraiment s'il avait vocation à plagier le parc à thème régressif de feu Michael Jackson ou fut ainsi baptisé en hommage au royaume d'Elvis Presley sis à Memphis, Tennessee. Notre châtelaine, qui prétend avoir payé le terrain avec ses économies de dactylo, se serait-elle lassée du kitsch? Il se dit qu'elle n'a jamais passé une nuit *in situ*. Mieux, le joujou du quartier de Borrowdale, bastion de la bourgeoisie blanche au temps de l'apartheid, aurait été selon la légende cédé à Muammar Kadhafi, désireux paraît-il d'y loger l'ambassade de la Jamahiriya libyenne, arabe, populaire et socialiste. Scénario tentant, mais romancé. Reste que, à en croire une source locale, « Gigi » a bien vendu aux intendants du Guide libyen sa propriété de Chinhoyi, réalisant au passage une substantielle plus-value, bientôt engloutie dans la construction, d'ailleurs inachevée, d'une résidence à Chivhu, sa ville natale. Une certitude : la *First Family* réside désormais non loin de Graceland, dans une folie clinquante de vingt-cinq pièces, avec boiseries précieuses de Malaisie et toiture de pagode en tuiles bleues *made in China*. Le tout gardé en permanence par une cinquantaine de policiers antiémeute.

En 2002, le tableau de chasse s'enrichit de Foyle Farm, résidence campagnarde et cossue de vingt-sept chambres dans la banlieue nord-ouest d'Harare, dérobée à un couple de *White Farmers*. Ainsi apparaît

---

ainsi « libérées » furent cédées à des caciques du régime, en vertu de leur statut, parfois imaginaire, d'anciens combattants de la guerre d'indépendance.

l'embryon d'un empire agricole baptisé Gushungo Estate, étendu depuis lors à coups d'annexions successives de terres mitoyennes, et doté en outre d'une flotte de camions de transport et d'autocars. Sept ans plus tard, la *First Lady* jetait son dévolu sur la ferme de 580 hectares attribuée jadis à Ben Hlatshwayo, un juge de la Cour suprême, vétéran de la lutte de libération et chef d'orchestre de la spoliation de milliers de fermiers au teint pâle. L'arroseur arrosé se cabra, au point de tenter d'introduire un recours en justice. Peine perdue : aucun magistrat ne se risqua à entraver le fait de la princesse. Laquelle tenait à faire cadeau de ces arpents à Russell, le fils né de son premier mariage. Généreuse avec les siens, « Disgrace » offrira une autre exploitation à un frère prénommé Reward – littéralement, « Récompense » –, un temps numéro 2 de l'ambassade du Zimbabwe au Canada, où il dut invoquer son immunité diplomatique pour échapper en 1999 à des poursuites pour violences sexuelles sur mineure. Résister, négocier, arracher un sursis ? Illusoire. Voilà une douzaine d'années, les septuagénaires John et Eva Matthews, ex-propriétaires du domaine d'Iron Mask, en ont fait l'amère expérience : la *First Lady* leur a signifié en personne qu'ils avaient 48 heures pour déguerpir.

Grace a-t-elle seulement songé à déposer le brevet de ce Monopoly solo, dans lequel la joueuse élue jouit seule du droit d'acquérir les terrains et d'y bâtir ce que bon lui semble ? En janvier 2013, et au grand dépit des 300 ouvriers aussitôt congédiés, le Mazowe Estate et ses 1 600 hectares, propriété d'un des principaux producteurs d'oranges du pays, sont tombés dans son escarcelle. Pour la bonne cause bien

entendu : il s'agit, paraît-il, d'y construire un orphelinat, une clinique privée, une école haut de gamme
et une université.

## La Voie lactée

Pourquoi se gêner ? On peut être pleins aux as et
zapper ses factures. Plusieurs *latifundia* de la nébuleuse Mugabe doivent une fortune à la Zimbabwe
Electricity Supply Authority (Zesa), société nationale d'électricité menacée au demeurant début 2012
de *black-out* par son fournisseur mozambicain pour
cause de dette colossale. Montant des arriérés tel que
révélé en mars de cette année-là par le *Daily News* :
l'équivalent de 260 000 euros, soit le tiers de l'ardoise combinée de la nomenklatura Zanu-PF. Celle-
ci risquerait-elle une coupure punitive analogue à
celle qu'encourt le « Zimbo » lambda pour un impayé
dérisoire ? Evidemment non. « Les cadres de la Zesa
préfèrent passer l'éponge et se taire par crainte d'être
virés ou mutés au diable, précise un reporter du quotidien d'Harare. En clair, l'élite au pouvoir a droit au
courant gratuit, tandis que les pauvres se saignent
pour régler leur note. »

Non contente d'annexer les terres de son choix,
Madame se pique de produire et de vendre. En
2009, lorsque la multinationale Nestlé, tenue de se
conformer aux sanctions internationales, cesse malgré d'intenses pressions de s'approvisionner auprès
de son Gushungo Dairy Estate, Grace décide de
lancer en représailles sa propre gamme de produits
laitiers – lait nature, caillé ou en poudre et glaces

– modestement baptisée Alpha Omega et commer-
cialisée depuis l'été 2012 *via* un réseau de supermarchés. Dans un entretien accordé peu avant à une
télévision locale, la Première Fermière du pays se
vantait de posséder 2 000 vaches et de pouvoir, dans
son exploitation modèle, procéder à la traite simultanée de 64 d'entre elles. S'agissant de son aptitude
à traire toutes les vaches à lait du Zimbabwe, on la
croit sur parole. « Je suis convaincue, avait-elle alors
précisé, d'être sur terre pour accomplir une mission,
jouer un rôle. Comme le disait Shakespeare, le monde
est un théâtre dont hommes et femmes ne sont que
les comédiens. » Notre Desdémone gagnerait à réviser
ses classiques. Pour l'épouse d'Othello, le Maure de
Venise, l'histoire finit plutôt mal.

## Filons et filous

Nul doute que, sur les planches, le costume de
Madame Sans-Gêne lui sied mieux que celui de
Madame Sans-Gemmes. De WikiLeaks a Offshore-
Leaks, les tombereaux de documents confidentiels diplomatiques et financiers dévoilés au grand jour depuis
2010 recèlent maintes pépites zimbabwéennes. Dans
un télégramme rédigé dès novembre 2008, l'ambassadeur des Etats-Unis à Harare, James McGee, accuse
la *First Lady* d'avoir raflé des millions de dollars grâce
à la vente illégale de diamants extraits des mines de
Marange, dans la province du Manicaland. Sur ce
marché ô combien lucratif, Miss Disgrace aurait pac-
tisé avec l'influente Thaïlandaise Nalinee Joy Tavee-
sin, ex-ministre et grande prêtresse de l'import-export

de Bangkok[12], dont Washington a jugé bon de geler les avoirs du fait de son « soutien secret aux pratiques kleptocratiques de l'un des régimes les plus corrompus d'Afrique ». Il est vrai que le câble du diplomate américain épingle aussi, parmi les bénéficiaires du trafic de pierres précieuses, la vice-présidente Joice Mujuru, tombée depuis lors en disgrâce, Gideon Gono, patron de la Banque centrale, déjà cité, Sabina Mugabe, la cadette de Robert, décédée entre-temps, le ministre des Mines, le gouverneur du Manicaland, un général et quelques affairistes blancs. Qui l'eût cru ? Grace, outrée, a engagé des poursuites en diffamation contre l'hebdomadaire zimbabwéen *The Standard*, coupable d'avoir relayé en décembre 2012 des révélations qu'elle dément avec vigueur. Sans convaincre quiconque : la même année, les époux Mugabe figuraient en bonne place dans le palmarès des 56 caciques de la Zanu-PF les plus corrompus, palmarès établi par l'ONG Anti-Corruption Trust of Southern Africa (ACT). Ce qui ne dissuade nullement Grace, quand on l'interroge sur le train de vie du couple, de dégainer son mantra favori, énoncé par exemple au détour de l'interview accordée en juin 2012 au quotidien *Sunday Mail* : « Nous n'avons pas beaucoup d'argent. Et nous le devons à notre travail. » Mais comment faire grief d'enfiler les perles à une femme qui chérit tant les bijoux ?

---

12. *Le Monde*, 5 avril 2013.

# Simone Gbagbo

## La virago mystique d'Abidjan

Sur la photo cadrée à la va-vite, les six miliciens triomphent, ivres de rage et de joie sauvage, tels des chasseurs posant en fin de battue autour de la dépouille du prédateur hier tant redouté. Le fauve terrassé, c'est elle, Simone Gbagbo, débusquée une heure plus tôt en compagnie de son mari Laurent dans leur bunker de la résidence présidentielle d'Abidjan. La voilà flanquée de ses cerbères, hirsute, le regard vide, à demi-dépoitraillée, agenouillée en *mater dolorosa* dans le hall du Golf Hotel. Là où Alassane Ouattara, vainqueur dans les urnes puis – avec le concours décisif de l'armée française – par les armes d'un chef d'Etat sortant agrippé à son trône, a établi faute de mieux son quartier général. Ce 11 avril 2011, la Première Dame déchue de Côte d'Ivoire, cette femme avilie au regard tantôt absent, tantôt incrédule, incarne l'humiliant naufrage d'un pouvoir fourvoyé dans une dérive mystico-guerrière.

Nul doute que la très bigote Simone, adepte du chapitre africain d'une secte évangélique américaine, aura vécu ce lundi de larmes et de cendres comme la montée du Christ au Golgotha ou le sacrifice de Blandine, sainte et martyre livrée aux lions affamés. Sur son chemin de croix, elle essuie coups, crachats et insultes. « Sorcière ! Guenon ! », hurle-t-on à son passage. Une Abidjanaise, dont le frère a péri brûlé vif sur un barrage des « Patriotes » pro-Gbagbo, tente de la frapper à coups d'escarpin. Des soudards ouattaristes lui arrachent qui une mèche tressée, qui un lambeau de robe *made in Thailand* ; trophées aussitôt brandis et que l'on marchandera sous peu au prix des amulettes. En mortifiant ainsi celle dont la taille, la carrure, le visage anguleux, la mâchoire carnassière et les prophéties apocalyptiques en imposaient tant, ses tourmenteurs exorcisent à bon compte leurs terreurs et leurs rancœurs.

L'orage passé, quand le couple vaincu aura rallié sous bonne garde une chambre du palace, viendra le temps de l'hébétude. Voici Simone assise sur le lit, prostrée, tête baissée, entre son mari Laurent en tricot de corps et l'aîné de celui-ci, Michel, torse nu. La voici sur un canapé ocre au cuir craquelé, la nuque calée par un coussin, marmonnant une inaudible supplique. Pour un peu, on jurerait qu'elle chuchote le « *Eli, Eli, lama sabachtani* » araméen de Jésus agonisant : « Mon Dieu, Mon Dieu, pourquoi m'as-tu abandonnée ? » Pourquoi ? On y reviendra.

Le 23 février 2015, à l'ouverture de son procès devant la cour d'assises d'Abidjan, Simone Ehivet, épouse Gbagbo, entourée de ses 78 coaccusés, présente un tout autre visage. Souriante, détendue, elle assène d'une voix ferme son argumentaire écrit, puis admoneste les avocats de la partie adverse, priés de revoir leurs cours de droit. Rancœur légitime. Instruction bâclée, témoignages confus, absence troublante de preuves irréfutables : on a vu balance de Thémis plus fiable. Quinze jours plus tard, le verdict, joué d'avance, tombe : 20 ans de prison ferme – soit le double de la peine requise par le parquet – pour « attentat contre l'autorité de l'Etat, participation à un mouvement insurrectionnel et trouble à l'ordre public ».

La proscrite mortifiée, la bagnarde inflexible : entre ces deux images, cinq années se sont écoulées. Un quinquennat de réclusion. C'est pour l'essentiel en sa résidence surveillée d'Odienné, à 700 kilomètres plus au nord, que Simone a attendu que passe cette justice des hommes qui, au demeurant, lui importe si peu. Et ce, paraît-il, dans l'espérance et l'allégresse, à l'instar des chrétiens des premiers âges en butte aux persécutions romaines. Elle n'en a pas pour autant fini avec le ballet des robes noires à jabot et des capes écarlates frangées d'hermine : à compter du 9 mai 2016, la rugueuse rebelle devait comparaître devant le même tribunal, pour « crimes contre l'humanité » cette fois. Le même chef d'inculpation pèse, entre autres, sur son ex-compagnon Laurent, jugé depuis le 28 janvier 2016 bien loin de la touffeur abidjanaise en compagnie du chef milicien Charles Blé Goudé. Car lui fut transféré dès novembre 2011 de Korhogo, son lieu d'assignation, à Scheveningen, centre pénitentiaire de la Cour pénale internationale de La Haye, aux Pays-Bas. L'une ici, l'autre au royaume des polders... Pourquoi une telle entorse à la parité judiciaire ? Hier pressé d'expatrier le président sortant, le nouveau pouvoir, sourd aux requêtes réitérées de la CPI, refuse de transférer Madame. Au prétexte que son pays dispose désormais d'une « justice opérationnelle », ce qui reste à démontrer, Ouattara exclut désormais d'expédier quelque citoyen ivoirien que ce soit à La Haye. Excellente nouvelle pour les soudards engagés au sein de ses forces, et qui mériteraient eux aussi d'y finir leurs jours. D'emblée, il est vrai, le tombeur de Gbagbo rechigna à livrer une femme et mère, si haïe soit-elle, à une juridiction perçue par la plupart de ses pairs et par l'intelligentsia africaine comme le bras armé d'une « justice des Blancs » au glaive sélectif.

A l'époque de l'exil intérieur, l'ex-Première Dame partageait son temps entre l'étude de la Bible, de longues séances de recueillement, les programmes de la télévision publique – la seule autorisée –, les échanges téléphoniques avec les compagnons du Front populaire ivoirien (FPI), le parti dont elle demeure la vice-présidente en titre, et les tâches ménagères, cuisine et vaisselle. Il lui arrivait aussi d'enseigner la lecture et l'écriture à ses geôliers comme aux enfants du gardien de la villa du quartier Hermakono. Pour briser la monotonie, rien ne valait toutefois les visites de notables locaux, d'amis et de proches parents. A commencer par Claude, la plus assidue des frangines, toujours prête à fournir vêtements et traitements contre le diabète ou les douleurs musculaires. Les autres sœurs ? La cadette Françoise a succombé à un cancer en mars 2012 ; quant à Marie-Victoire, elle vit en exil au Ghana[1]. A Odienné,

---

1. *Jeune Afrique*, 2 décembre 2012.

on ne vient pas seulement tenir compagnie à l'aînée, mais aussi à la « maman », à celle qui, orpheline de mère à 7 ans, joua avant l'heure les chefs de meute d'une fratrie pléthorique – 16 sœurs et un frère – élargie au fil des mariages successifs du pieux gendarme Jean Ehivet, père en outre de la section de recherches de la maréchaussée ivoirienne.

## Mât de cocagne

Issue de la tribu des Abouré – l'une des planètes de la nébuleuse sudiste des Akan[2] –, dont elle décryptera plus tard la vision de la femme, « le langage tambouriné » et le lexique guerrier, la jeune tutrice vient au monde le 20 juin 1949 à Moossou, village de la commune de Grand-Bassam. Très vite, son énergie et sa volonté de fer sidèrent son entourage. Elève exemplaire, elle brille autant sur les bancs de l'école qu'au jeu du mât de cocagne, ce poteau de bois enduit de savon et couronné de cadeaux que seuls les plus endurants parviennent à atteindre. « J'ai toujours réussi à attraper mon lot », écrit Simone dans un ouvrage autobiographique dont nous reparlerons. Jolie métaphore initiatique : l'ascension vers les sommets de la

---

2. La galaxie akan a pour berceau le Ghana – l'ancienne *Gold Coast*, ou Côte-de-l'Or – et le sud-est de la Côte d'Ivoire. Au sein de ce groupe figurent les Baoulé, originaires du Ghana et conduits au XVIIIᵉ siècle au pays des Eléphants par la reine Abla Pokou. Parmi les plus éminents représentants de cette ethnie, la première au sein de la nation ivoirienne, les anciens présidents Félix Houphouët-Boigny et Henri Konan Bédié.

gamine Ehivet n'aura été qu'un âpre et long combat contre l'adversité ; et sa disgrâce sera celle d'une cousine d'Icare qui, otage d'un messianisme sectaire, se serait brûlé les ailes au soleil du pouvoir.

D'emblée, la fille Ehivet cueille tous les lauriers du système qu'elle défiera bientôt : le bac en 1970, une licence de lettres modernes trois ans plus tard, suivis d'un Capes du même métal avec le rang de major, d'une maîtrise à Paris XIII-Villetaneuse et d'un DEA à l'université de Dakar (Sénégal). Sans oublier la licence de linguistique raflée au passage, prologue à la création dès 1972 d'un Groupe de recherche sur la tradition orale. Le savoir et les diplômes comme ferments de la révolte : militante née, Simone plonge d'emblée dans le chaudron de la politique *via* l'effervescence lycéenne – avec une première interpellation policière à 17 ans – puis le syndicalisme étudiant. Patronne de la Jeunesse étudiante chrétienne (JEC) à l'échelon national, elle ferraille aux avant-postes de la bataille pour l'« ivoirisation » de l'enseignement. « Simone sortait du lot, concède un compagnon d'alors. Sûre d'elle, cassante. Trop intelligente pour une femme, disions-nous. »

### Blessures à vif

A gauche toute : sous le despotisme patriarcal de Félix Houphouët-Boigny, les campus les plus indociles rêvent de soviets tropicaux et de révolution prolétarienne. Peu leur chaut que le pays des Éléphants, fort de sa terre féconde et de ses débouchés maritimes, passe alors pour l'accueillante

« locomotive » de l'Afrique de l'Ouest, sinon pour un laboratoire de la modernité politique. Voici venu le temps, exaltant, de la clandestinité, des noms de code et des brûlots ronéotés. Chez Bernard Zadi Zaourou, l'universitaire marxisant qui l'a recrutée, la bosseuse croise un jeune prof d'histoire viré de son lycée pour « convictions communistes », auréolé du prestige que lui vaut le stage de « correction » – en clair, la session de rééducation idéologique – fraîchement accompli dans les camps militaires de Séguéla et Bouaké. « Cicéron », surnom que valent à Laurent ses talents de latiniste, et Simone seront camarades avant d'être amants ; et le resteront bien après l'étiolement des élans du corps et du cœur. « Plus qu'un couple, un tandem engagé forgé au feu des épreuves », avance un intime du détenu de Scheveningen. Petit Frère, Santia puis Djédjé Léon pour lui ; Dominique ou Adèle pour elle : le « commissaire politique » de la cellule Patrice-Lumumba – ainsi baptisée en mémoire de l'éphémère premier chef de gouvernement de l'ex-Congo belge, assassiné dès janvier 1961 – et sa compagne changent volontiers d'identité, mais pas de cap. Il s'agit de saper l'assise d'une satrapie post-coloniale adossée au dogme du parti unique. Avec une nuance toutefois : « La plupart d'entre nous récusions la lutte armée, précise un pionnier de l'époque. Elle ne l'excluait pas. »

Ainsi naît en 1980 « l'Organisation », embryon plus ou moins secret du futur FPI. Deux ans plus tard, quand Houphouët exile Gbagbo vers la France, Simone, alors numéro 2 du Syndicat national de la recherche et de l'enseignement supérieur (Synares), se retrouve seule, avec sur les bras des jumelles âgées de huit mois – Gado et Popo – et un mouvement souterrain harcelé par le pouvoir et ses agents. Aidée en cela par le noyau dur des fidèles, l'universitaire sous surveillance « tiendra la boutique » cinq années durant. Après le retour au pays du « boss », on célèbre à trois mois d'intervalle, et dans la discrétion, une naissance et un mariage. La naissance du Front populaire ivoirien, dont une palmeraie de Dabou abrite le congrès constitutif. Le mariage de Simone et Laurent, scellé sans tam-tam ni trompette le 19 janvier 1989 en la mairie de Cocody. Et sans passer par l'autel : unie en premières noces et devant Dieu à un compagnon de la JEC – « Un gars gentil, écrasé par son aura », soupire un témoin, et qui lui donnera trois filles, prénommées Patricia, Marthe et Antoinette –, la toute nouvelle Mme Gbagbo subit comme un injuste châtiment l'ostracisme de l'Eglise de Rome envers les divorcés. La quiétude, enfin ? Certes pas. Les époux restent fichés à la Sûreté nationale. Après l'accession de l'historien à la présidence, leurs photos anthropométriques, ardoise sur la poitrine comprise, trôneront d'ailleurs dans la chambre à coucher du palais.

Brièvement incarcérée en 1990, Simone subit bientôt dans sa chair la morsure de la violence. Discours, écrits, lexique, métaphores : il suffit de l'entendre ou de la lire pour mesurer combien chacun des traumatismes vécus aura façonné en elle une perception doloriste, sinon christique, de sa destinée. Comme si cette mère de cinq enfants, profondément marquée par les souffrances de l'accouchement, devait à chaque instant conjurer l'éternelle damnation de la femme soumise à la tyrannie des mâles. « C'est dans nos hurlements de douleur, clama-t-elle un jour, que nous mettons au monde la vie. » En février 1992, prise dans la rafle déclenchée au lendemain de féroces affrontements entre militants du FPI et nervis du pouvoir houphouëtiste, elle échoue au camp Gallieni, brutale antichambre de la Maison d'arrêt et de correction d'Abidjan (Maca), où l'attendent cinq longs mois de brimades. Molestée, tabassée, humiliée, la linguiste retrouve à l'en croire la foi de son enfance grâce à une visiteuse de prison, religieuse de son état. Mais c'est aussi de ce cauchemar que date la haine vigilante que lui inspire Alassane Ouattara, alors Premier ministre, accusé d'avoir ordonné la vague d'arrestations. Quatre ans plus tard, elle et Laurent réchappent par miracle à un terrible accident de la route : gênée par l'embardée d'un chauffard au volant de son 4 × 4, leur voiture plonge dans le ravin. Lui s'en tire avec quelques fractures ; elle frôle la tétraplégie. De cet épisode, Simone gardera les stigmates – de tenaces douleurs cervicales –, la manie de malaxer une balle de mousse, vestige d'une longue et pénible rééducation, et une certitude : le couple a survécu par la volonté du Très-Haut à une tentative d'assassinat.

### Faux prophètes

Dès lors, l'ancienne égérie de la JEC s'éloigne plus encore de la planète catho, trop tiède, pour graviter dans l'orbite du protestantisme pentecôtiste, où elle finira par entraîner son époux, jadis pensionnaire du petit séminaire de Gagnoa. Et ce sous l'influence de pasteurs interlopes choyés par la présidence, tel le

« conseiller spirituel » Moïse Koré, ancien international de basket-ball et négociant en armements. Lors de dîners arrosés au whisky et au cognac, il arrivait à ce prophète d'opérette, figure de proue de l'Eglise Shekinah Glory, filiale ivoirienne d'un culte évangélique d'outre-Atlantique, de désigner avec l'aide des esprits le « diable », que celui-ci se nommât Chirac ou Ouattara. Eclectique, Simone ouvrira à d'autres gourous plus ou moins illuminés le portail du palais, théâtre chaque vendredi d'une séance de prière réservée aux fidèles les mieux en cour[3]. A ses yeux, la messe est dite : la Côte d'Ivoire est devenue l'un des champs de bataille de la guerre sans merci que l'islam livre au christianisme. Mené par la coalition nordiste des Forces nouvelles, le coup d'Etat avorté de septembre 2002 n'a fait que consacrer le sacerdoce qu'elle s'assigne : défendre les siens contre le déferlement des agresseurs musulmans venus du Nord.

Souvent la pulsion xénophobe affleure. L'ivoirité, cette doctrine de la pureté identitaire théorisée sous Bédié, et qui empoisonnera l'atmosphère deux décennies durant ? « Elle ne me dérange pas, admet-elle. Chacun son origine. » Sus aux allogènes. On entendra ainsi la Première Dame, dignité à laquelle ne peut prétendre selon elle qu'une Ivoirienne noire de peau, déplorer à haute voix que figure dans *L'Abidjanaise*, l'hymne national, l'expression « pays de l'hospitalité ». « Nous avons accueilli les étrangers, argue-t-elle, et ils nous font la guerre. » En juillet 2001, quand elle reçoit un courrier déférent l'informant de la naissance d'une association féminine de lutte contre le

---

3. *Slate Afrique*, 1er avril 2011.

sida signé d'un nom à consonance nordiste, son dépit éclate : « Encore une Dioula[4]! s'exclame-t-elle. Mais que font nos sœurs ? » Et lorsque Laurent envisage de réintégrer Patrick Achi, ministre fraîchement limogé, il s'attire ce désaveu rageur : « Tu comptes faire quoi avec ce Mauritanien-là ? »

Au printemps 2011, à l'heure où les forces ouattaristes assiègent à Abidjan l'ultime fortin d'un régime aux abois, Simone s'entête : « Laurent, tu es l'élu de Dieu. Si tu cèdes, c'est que tu n'es pas garçon. » Entendez : tu n'as pas l'étoffe d'un homme, un vrai. Elle ne craint rien. Pas même de pénétrer dans la chambre de feu Houphouët ; ce que jamais son époux, qui croyait la pièce maraboutée, hantée par des fantômes fatals à ses deux prédécesseurs, n'osa fuire. « Lui était alors disposé à transiger, à se prêter à une médiation, voire à négocier la reddition, confie un ami du couple, témoin à distance de cet épilogue crépusculaire. Elle, jamais. On l'entendra même invoquer le secours d'une légion d'anges. » Cet aveuglement ébranle-t-il alors le tandem conjugal ? Probable. « Si nous faisons ce que tu préconises, lui aurait lancé son mari dans le réduit de Cocody, nous allons tous mourir. Mais après tout, si c'est ce que tu veux[5]... » Selon des sources concordantes, Laurent obtiendra de ses geôliers d'être assigné à résidence ailleurs que son épouse.

---

4. Au sein de l'ensemble mandingue, les Dioula constituent une communauté traditionnellement commerçante fortement implantée dans le nord de la Côte d'Ivoire et qui pratique un islam réputé tolérant.

5. *Libération*, 31 mars 2011.

## « Les araignées de l'ombre »

Bien sûr, lire les épreuves de cet ouvrage en fut une. Il n'empêche : quiconque tente de cerner la psyché d'une si rugueuse pasionaria se doit d'étudier ligne par ligne le pensum autobiographique intitulé *Paroles d'honneur*, paru en 2007, pavé de 500 pages à la construction parfois erratique, pompier, redondant et parsemé de coquilles[6]. Pour ce plaidoyer *pro domo*, l'auteur puise à pleines mains dans un lexique mystique et conspirationniste et trempe la plume dans l'encre du ressentiment. A la clé, une alternance déroutante de sermons angéliques et de réquisitoires hargneux. Rien ne manque, ni les « complots », maçonniques ou pas, ni la « diabolisation », ni la « calomnie », ni le « lynchage médiatique », ni les méfaits d'énigmatiques « araignées de l'ombre », formule invoquée une douzaine de fois en 100 pages. Dédié à cet époux « épatant », digne d'une « admiration profonde, jamais érodée », l'exergue mérite d'être cité *in extenso* : « Salut à toi, Laurent ! Tu croyais œuvrer uniquement pour amener à l'existence une vision que Dieu a inscrite derrière tes paupières et qui ne te lâche pas. Tu nous as forgé une âme forte et résistante, prête, comme Sisyphe, à remonter notre Afrique depuis les abîmes du bannissement et de la déchéance ancestrale jusqu'à la lumière de la Libération et de l'épanouissement total. » Référence hardie :

---

6. Simone Gbagbo, *Paroles d'honneur. La Première Dame de Côte d'Ivoire parle...*, Ramsay/Pharos/Jacques-Marie Laffont, 2007.

sauf erreur, le rocher que le héros mythologique cher
à Albert Camus s'échine à hisser finit toujours par
rouler au bas de la montagne.

Qu'importe, la pieuse Simone voit le doigt de Dieu
partout. Quand, en novembre 2006, le Conseil de
sécurité de l'Onu adopte la résolution 1721, laquelle
prolonge d'un an le bail de Gbagbo à la présidence,
elle y décèle un signe du ciel : Jean, chapitre 17,
verset 21 : « Que tous soient un. » Au détour de sa
confession, Simone jure n'éprouver ni rancœur ni ran-
cune envers Ouattara. Diable, que serait-ce dans le
cas contraire ? Haro sur « l'homme venu d'ailleurs »
– allusion transparente au passé voltaïque du rival
nordiste –, sans foi ni loi, dangereux, modèle de
duplicité et « véritable fléau pour notre pays ». Même
mansuétude à l'endroit de Bédié, dépeint sous les
traits d'un « roi fainéant » stupide, ou de Guillaume
Soro, chef rebelle et futur Premier ministre de Laurent, relégué au rang de néophyte ambitieux et mani-
pulé. Si « la compagne de galère » évoque l'intense
émotion ressentie le 26 octobre 2000, jour de la prestation de serment de l'ancien proscrit, elle admet que
ses larmes de joie versées alors « ont la saveur amère
de la revanche ». Au fil des pages, la Première Dame
règle ses comptes, écrasant de son mépris la cohorte
des censeurs, des imposteurs et des couards, retri-
cotant l'histoire à sa manière. Le journaliste franco-
canadien Guy-André Kieffer, porté disparu depuis le
16 avril 2004 ? Simone feint de se demander s'il « a
vraiment été enlevé un jour ». Et qu'importe si l'intéressé fut kidnappé peu après un ultime rendez-vous
avec Michel Legré, le beau-frère de Madame. « Le peu
que la rumeur en disait, écrit fielleusement celle-ci,

n'était pas très honorable. » Le raid aérien de l'aviation loyaliste sur le lycée Blaise-Pascal de Bouaké, fatal en novembre de la même année à neuf militaires français du dispositif Licorne, la force d'interposition déployée dès septembre 2002 entre assaillants nordistes et armée régulière ? Elle doute de la réalité des décès et, au risque de la contradiction, impute à demi-mot le carnage à un obus parti du camp des insurgés tout proche…

### La boîte à claques

Le Dieu de Simone l'exaltée est celui de l'Ancien Testament. Celui dont on redoute le courroux. Celui qui vomit les tièdes, tonne et châtie. Celui qui inspire imprécations et saintes colères. Le Créateur, éructe-t-elle en janvier 2011 devant les 4 000 fidèles réunis au palais du Peuple d'Abidjan, « purifie, chasse et détruit ; il arrache les purulences[7] ». Il arrive à la virago ivoirienne, fascinée par Abraham, Moïse et l'épopée du peuple juif, de joindre le geste à la parole. En janvier 2003, elle gifle en public le Premier ministre Pascal Affi N'Guessan, président d'un FPI dont elle dirige le groupe parlementaire à l'Assemblée nationale. Son péché ? Avoir signé au nom de la Côte d'Ivoire les accords négociés sous l'égide de la France à Marcoussis (Essonne) avec les émissaires de l'insurrection nordiste. Texte avalisé par son président d'époux mais assimilé au choix à une « impasse absolue », à une « œuvre démonique »

---

7. *Libération*, 17 janvier 2011.

ou à un « pacte avec le diable ». « Si nos hommes flanchent, lance alors aux Ivoiriennes la première d'entre elles, ils ne nous trouveront pas dans leur lit au retour. » A la veille d'un entretien avec Laurent Gbagbo, l'auteur de ces lignes, coupable d'écrits jugés infâmes publiés dans *L'Express*[8], eut droit à cette mise en garde émanant d'un conseiller du chef : « Au palais, débrouille-toi pour ne pas croiser Simone dans les couloirs. Tu pourrais avoir droit toi aussi à ta paire de claques. » D'autres journalistes, engeance exécrée, avaient auparavant goûté aux anathèmes de la Première Dame. Dès janvier 2001, lorsqu'elle reçoit à l'heure des vœux hommes et femmes de presse ivoiriens ou étrangers, c'est en ces termes que l'hôtesse salue Stephen Smith, l'envoyé spécial du *Monde* : « Je vous serre la main sans aucun

---

8. En cause, un portrait intitulé «Simone, femme fatale » (*L'Express* du 20 février 2003) et une enquête sur les liens entre la présidence et les « escadrons de la mort » impliqués dans plusieurs assassinats politiques, dont celui du comédien Camara H ou ceux du général Robert Guéï et de son épouse, Rose Doudou, massacrés en septembre 2002 (*L'Express* du 6 février 2003). En janvier 2005, Radio France internationale révéla l'existence d'un rapport « secret » du haut-commissariat des Nations unies aux droits de l'homme impliquant plusieurs hautes personnalités ivoiriennes dans la conduite de ces équipes de tueurs, dont Simone Gbagbo et un ancien ministre de la Défense, neveu de son mari Laurent. Le 1er octobre 2012, le procureur militaire Ange Kessi annonce qu'Anselme Seka Yapo, dit « Seka Seka », aide de camp de la Première Dame au moment des faits, a avoué en détention le meurtre des époux Guéï. En février 2016, ce dernier sera condamné à la prison à perpétuité pour « assassinat ».

plaisir. Vous n'êtes pas le bienvenue. » « Nous avons gagné tous nos procès contre des médias français », prétend d'ailleurs Simone dans l'ouvrage cité plus haut. Faux : au terme d'une longue procédure, le couple, flanqué pour l'occasion du capitaine Anselme Seka Yapo, chef de la garde rapprochée de Madame, a perdu ceux intentés à *L'Express* et au *Monde* pour diffamation...

Les diplomates n'échappent pas davantage à la fureur de l'icône des Jeunes Patriotes, ces miliciens dévoués corps et âme au clan au pouvoir. « A chaque fois que j'allais voir Laurent Gbagbo à Abidjan, raconte Michel de Bonnecorse, le Monsieur Afrique de Jacques Chirac, elle me rentrait dedans. Avec toujours la même antienne : "Vous les Français, vous êtes de mèche avec les rebelles et vous rêvez de recoloniser nos richesses." Je me souviens d'un dîner avec le couple Gbagbo et l'ambassadeur Gildas Le Lidec, au cours duquel Laurent avait dû emmener Simone à l'écart pour la calmer, tant elle s'échauffait. Elle était le plus faucon des faucons qui l'entouraient[9]. » « Une mégère pas apprivoisée », soupire un successeur de Bonnecorse à l'Elysée, gratifié lui aussi de mémorables avoinées. Au pays, Simone inspire au mieux le respect, au pire la terreur. En 2004, la revue *Politique africaine* doit renoncer à publier son portrait : l'universitaire ivoirienne pressentie exige en effet de soumettre le texte avant publication à l'intéressée et à la direction du FPI... L'année précédente, trois des sept témoins sollicités pour étayer un récit à paraître dans *L'Express*, fût-ce sous le sceau de l'anonymat,

---

9. Entretien avec l'auteur, 18 octobre 2012.

s'étaient dérobés. « Trop risqué », avança alors un ancien camarade.


## La femme du boulanger

Laurent Gbagbo finira par comprendre, trop tard sans doute, ce que lui aura coûté l'intransigeance de sa compagne. Mais ce 26 octobre 2000, date de sa cérémonie d'investiture, l'homme qui vient de conquérir la présidence au terme d'un scrutin « calamiteux » – c'est lui qui le dit – en est encore à la reconnaissance de dettes. « Je lève mon verre à Simone, lance-t-il. Si j'ai gagné, c'est à elle que je le dois. Elle a fait 60 % du travail[10]. » Hommage mérité à la militante aguerrie, détentrice d'un éloquent palmarès politique : députée du quartier d'Abobo depuis 1995, vice-présidente de l'Assemblée nationale et patronne du groupe parlementaire FPI. Autant dire qu'elle n'a nullement l'intention de se cantonner au rôle de potiche protocolaire. « Ce n'est pas parce que je suis la femme du chef de l'Etat que je dois rester oisive. Laurent n'attend pas de moi que je m'efface[11]. » « On me prête beaucoup d'influence, confiait-elle

---

10. Cité dans le n° 95 de la revue *Politique africaine* (Karthala, octobre 2004). Si Laurent Gbagbo, vainqueur de la présidentielle du 22 octobre 2000, l'a lui-même qualifiée de « calamiteuse », c'est que le scrutin, censé mettre un terme à la transition consécutive au putsch conduit par le général Robert Gueï le 24 décembre précédent, fut assombri par de nombreux affrontements, déclenchés notamment par l'invalidation de la candidature d'Alassane Ouattara.

11. *L'Express* du 20 février 2003.

dès 2001. Je laisse dire. Mon mari a une très forte personnalité. Moi aussi, ce qui me donne un certain poids. Il m'écoute, et c'est normal, sans pour autant que j'intervienne dans la formation du gouvernement. Tous ses membres ont du respect pour moi. Et l'on me situe souvent au-dessus d'eux. J'ai la trempe d'un ministre. » Sans pour autant que j'intervienne... Pas si sûr. Lorsque, à peine élu et entouré de fidèles réunis dans la vaste cour de la maison familiale du quartier Riviera, Gbagbo imagine à voix haute le *casting* de son futur cabinet, la gardienne du temple veille. « Ah non ! Pas celui-là, Laurent ! Souviens-toi de ce qu'il nous a fait. » « Quoique au cœur du sérail, Simone n'empiétait pas sur ses prérogatives, nuance l'universitaire Albert Bourgi, vieux complice du reclus de La Haye. Bien sûr, elle se faisait entendre, mais lui ne l'écoutait pas nécessairement, et il lui arrivait de la rabrouer[12]. » Bien vu : si elle a pu opposer un temps son veto à l'accession de la Nordiste Kandia Camara au portefeuille de la Femme et de la Famille, rien n'empêchera celle-ci d'hériter du maroquin de l'Education nationale.

Tacticien roué, le « boulanger d'Abidjan » – surnom que Gbagbo devait à son aptitude à rouler son monde dans la farine – sut jouer à son profit du jusqu'au-boutisme de Madame, chef de file d'un clan des durs dont il se serait évertué à modérer les outrances. Repoussoir rêvé et martingale commode : il faudrait beaucoup de candeur pour voir en lui l'otage des diktats de son impérieuse moitié, Raspoutine en boubou. Reste que l'emprise supposée de la Première Dame

---

12. Entretien avec l'auteur, 18 décembre 2012.

exaspère. Pour preuve, cette suggestion ironique d'un conseiller du président ghanéen d'alors, John Kufuor, hôte à l'été de laborieux pourparlers sur le devenir d'une Côte d'Ivoire déchirée : « Si Gbagbo renâcle par crainte des réactions de sa femme, qu'on envoie un avion la chercher à Abidjan, les chefs d'Etat discuteront directement avec elle ! » Simone a-t-elle un jour songé à exercer la magistrature suprême ? « Jamais ! » tranche Albert Bourgi. Là encore, le doute est permis. « Mon mari est le chef de l'Etat. J'aurais pu l'être[13] », décréta-t-elle un jour. Dans son panthéon politique, l'Argentine Cristina Kirchner, qui a succédé à son conjoint au palais, coudoie Hillary Clinton, laquelle aspire à faire de même… Une certitude : Simone avait bâti son propre réseau, adossé à de puissants piliers, tels Marcel Gossio, le patron du Port autonome d'Abidjan, Charles Blé Goudé, gourou des Jeunes Patriotes déjà cité, les sécurocrates Désiré Tagro et Antoine Bohoun Bouabré ou le président de l'Assemblée nationale Mamadou Koulibaly. Un obligé dont elle aurait d'ailleurs volontiers annexé le perchoir, tout comme elle convoita en vain les rênes du Front populaire ivoirien.

S'il est un lieu où l'on juge superflu d'ergoter sur l'ascendant de l'enfant de Moossou, c'est bien la Cour pénale internationale. Pour preuve, le contenu du mandat d'arrêt transmis à Abidjan, assorti d'une vaine demande d'extradition. A en croire les enquêteurs de la CPI, Simone figurait aux avant-postes lorsque le contentieux électoral de 2011 vira à l'affrontement armé. « Elle a participé à toutes les réunions,

---

13. *VSD*, 21 mars 2007.

arguent-ils. Bien que n'étant pas élue, elle se comportait en *alter ego* de son mari, exerçant le pouvoir de prendre des décisions d'Etat. »

## Self-made woman

Dotée d'un cabinet à sa dévotion logé dans l'enceinte de la présidence, Simone Gbagbo s'était octroyé au temps de sa splendeur tous les attributs inhérents à son statut. Quand elle se déplace, c'est alors précédée d'une imposante colonne convoyant victuailles, réfrigérateurs et gazinières, et escortée par une suite pléthorique : un maître d'hôtel, des cuisiniers, une escouade de dames de compagnie, un chef du protocole, un aide de camp et un garde du corps[14]. De quoi ternir quelque peu l'auréole de la militante pur jus, encline à mépriser les biens d'ici-bas. « On aurait tort de négliger chez elle la dimension patrimoniale, note l'ex-Africain de l'Elysée Michel de Bonnecorse. Omar Bongo a rapporté devant moi à Jacques Chirac la supplique que lui adressa Simone lors d'une visite à Libreville : "Monsieur le Doyen, il faut nous laisser du temps. Nous n'avons pas assez mangé." »

Autre instrument de la panoplie, le site Internet, très inspiré. La page d'accueil de www.simonegbagbo.org, millésime 2003, valait à elle seule une visite. Sur fond de plage de sable blond léchée par des vagues indolentes, voici sous son meilleur profil le visage de la Première Dame, regard intrépide

---

14. *VSD*, 21 mars 2007.

et lointain. Une colombe volette sur l'écran, tandis que défile un texte à la gloire de la « Côte d'Ivoire prospère, une et forte, bâtie sur le socle de l'Eternel ». Accessible en français comme en anglais, le site décrit par le menu ses activités. Discours aux femmes musulmanes, aux soldats, aux déplacés, appel à la vaccination antipolio, soutien aux séropositifs, rien ne manque. L'internaute apprend aussi que l'illustre épouse fut élevée, en juillet 2002, et « à titre exceptionnel », au grade de grand officier de l'ordre du Mérite centrafricain, ou que l'ambassade de Chine lui a fait don de douze broyeuses à canne à sucre. Il peut encore participer au sondage du jour. « Pour ou contre le recours au référendum en cas de révision de la Constitution ? » vient de céder la place à « Pour ou contre le discours d'apaisement du président Gbagbo ? » On découvre enfin cette page consacrée aux engagements de Madame et intitulée – troublant lapsus – « Lutte contre la démocratie ».

Simone a, grâce à Dieu – à qui d'autre ? –, mené de moins douteux combats. Ses priorités : la scolarisation des filles ou l'accès des femmes à la terre. Ses cibles : l'excision, les mariages précoces ou forcés et le sida. On l'a ainsi vu, au détour d'un concours de beauté, distribuer des préservatifs, adjurer les hôteliers de l'imiter, prier les patrons ivoiriens d'épauler leurs employés infectés. Mais cette médaille eut son revers. « La Première Dame confisque la croisade anti-VIH, étouffe les associations locales, kidnappe les experts étrangers en visite et rafle les moyens, nous confia en 2003 une activiste amère. Pour elle, il s'agit d'un tremplin politique, d'un instrument de pouvoir parmi d'autres. » Grief émis dès 1989 par l'ambassade américaine à Abidjan, ainsi que l'atteste ce télégramme dévoilé par WikiLeaks. « En dépit de sa stature, y lit-on, la *First Lady* agit peu en faveur des femmes. Selon plusieurs *female leaders* consultées, elle évite d'apparaître trop liée à cette cause par crainte de ne pas être prise au sérieux en tant qu'actrice politique. » Au demeurant, « Tatie Simone » professe un féminisme à géométrie variable : évoquant, lors d'un entretien accordé à TV5 Monde, le sort d'opposantes violées, elle lâchera cet effarant verdict : « Ces manifestantes n'auraient pas dû se trouver là où elles étaient. » Même si elle tenta brièvement – et sans succès – d'imposer sa présence à la tête d'une amicale de Premières Dames animée par Edith-Lucie Bongo, Simone, réfractaire aux mondanités, masquait à peine la piètre estime dans laquelle elle tenait ses consœurs. « Ma position actuelle, insistait-elle, je la dois à ma trajectoire, pas au poste de mon mari. C'est ce qui me distingue de [la Sénégalaise] Viviane Wade. Moi, je ne veux pas créer une fondation, comme le font mes homologues. Les ONG sont là pour ça. »

## Nady l'intruse

Parmi les « archaïsmes » que réprouvait la coriace dévote, il en est un dont elle connaît intimement la brûlure : la polygamie. C'est qu'au-delà des frasques extraconjugales si communes aux puissants en Afrique comme ailleurs, il lui fallut, dans le secret puis au grand jour, partager son grand homme

avec une autre. Et qui plus est, avec une jeunesse
musulmane venue du Nord. Ni « deuxième bureau »
ni « poulette » de passage : en 2001, Laurent a bel
et bien épousé au village, et selon le rite malinké,
l'ancienne journaliste Nadiana Bamba, *alias* Nady ;
laquelle lui donnera un fils, prénommé Raïs Koudou
en hommage au grand-père paternel du président.
Par quel prodige « Petite Maman » – le plus affec-
tueux des sobriquets de l'*outsider* – parvint-elle,
sans l'évincer, à contraindre la rugueuse battante
à cet insolite compromis matrimonial ? Comment
cette dernière a-t-elle pu supporter un tel affront ?
« Plus éprise de lui que lui d'elle, Simone tenait
trop à Laurent pour courir le risque de le perdre,
répond un diplomate familier des intrigues abidja-
naises. Tous deux ont, de fait, conclu un marché.
La légitime ferme les yeux et s'accommode, quoi
qu'il lui en coûte, de cette double vie. En contrepar-
tie, elle reçoit l'assurance de préserver son autorité
politique. » Chambre à part, mais cause commune.
Maintes fois différé, le scrutin présidentiel de 2010
attise néanmoins la rivalité, les deux amazones se
livrant une guérilla Nord-Sud fort peu urbaine, aux
aléas parfois vaudevillesques. Toute référence à
Simone était ainsi bannie des colonnes du *Temps*,
le quotidien gbagbolâtre de l'agence Cyclone, petit
empire de presse et de com' fondé par Nady. « Si
elle y figure un jour, aurait tranché celle-ci, ce sera
à la rubrique nécrologique. » Quant aux salons de
la résidence de Cocody, ils résonnèrent longtemps
des colères homériques de l'épouse délaissée. Qu'à
cela ne tienne : l'ancienne correspondante de la
radio Africa numéro 1 à Abidjan hérite à la veille du

premier tour d'une mission cruciale : sillonner pour
le compte du sortant les provinces réputées acquises
au dioula Alassane Ouattara ; empruntant au besoin
le jet privé présidentiel, bien plus douillet que l'hélico de l'armée assigné à son aînée. « Je viens me
confier à vous et vous confier mon mari, lance-t-elle
ainsi à Man, où vit une dense communauté d'adeptes
du Prophète. Ceux qui prétendent qu'il n'aime pas
les Malinkés ont tort. J'en suis la preuve vivante. »
Peine perdue : les plaidoyers de la seconde Première
Dame échouent à enrayer le raz-de-marée ouatta-
riste. Pour Simone, l'heure de la vengeance a sonné :
la voilà qui, épaulée par la coterie des boutefeux,
reprend la main à l'heure de l'entre-deux-tours aux
dépens de la « petite fille », ainsi qu'elle désigne avec
dédain l'ex-demoiselle Bamba. Le 4 décembre 2010,
la prestation de serment de Laurent, mascarade à la
gloire de celui qui s'est proclamé vainqueur de l'élection perdue, lui offre une revanche aussi éclatante
qu'éphémère : en l'absence de Nady, elle y paraît
radieuse, vêtue, non comme une décennie plus tôt
d'un ensemble « pagne » vert à motifs violets, mais
d'une robe blanche de jeune mariée, avec dentelles
et mousseline.

Deux reines sur le même échiquier : le très madré
Gbagbo dut parfois se dire qu'il était moins ardu de
solder une guerre que de pacifier son gynécée. Il ne
fera ni l'un ni l'autre. Dans sa cellule batave, le souverain déchu s'est longtemps langui de la cadette,
qui, exilée à Accra (Ghana), dut attendre la levée des
sanctions de l'Union européenne pour accéder enfin,
en juillet 2013, au parloir de Scheveningen. « Il m'a
un peu parlé de Nady et pas du tout de Simone »,

confiait huit mois plus tôt un de ses visiteurs. Sans doute cette défaite-là restera-t-elle la plus cuisante de toutes. Mon Dieu, mon Dieu, pourquoi m'as-tu abandonnée ?

## Dominique Ouattara

## Casque d'or en terre d'Ivoire

Ce vendredi 20 mai 2011, à l'instant béni où les ombres s'allongent, il y a du beau linge autour de la piscine de l'hôtel Président, vénérable palace de Yamoussoukro. Rien que des VIP, ivoiriens ou étrangers. Diplomates, hauts fonctionnaires, élus, hommes et femmes d'affaires, artistes : tous ont rallié l'ex-village natal de Félix Houphouët-Boigny, promu dès 1983 au rang de capitale politique du pays des Eléphants, pour assister le lendemain à la cérémonie d'investiture du nouveau chef de l'Etat Alassane Dramane Ouattara, *alias* « ADO », tombeur dans l'isoloir puis au son du canon du sortant Laurent Gbagbo. Il s'agit, à quelques heures d'un rituel si solennel, de fêter la victoire entre amis, autour d'un fastueux dîner-buffet. De temps à autre, une avenante quinquagénaire délaisse la table d'honneur, où les initiés du village franco-africain ont relevé la présence des capitaines d'industrie Martin Bouygues et Vincent Bolloré, et, naviguant toute blondeur dehors entre les étals de victuailles, vient accueillir tel invité de marque. Elle s'acquitte de sa tâche en maîtresse de maison vigilante et aguerrie ; avec, aux lèvres, un sourire épanoui, le mot aimable pour chacun et le rouge carmin des soirées de gala. En clair, Dominique Ouattara, née Nouvian, rayonne. Un peu comme la sociétaire de la comédie humaine qui, endossant un costume de scène taillé à la mesure de son ambition, incarne enfin le rôle de ses rêves. Un peu, aussi, comme l'« usurpatrice » qui, après mille avanies, entend tinter le carillon de la revanche.

Si, en Afrique comme ailleurs, toute Première Dame charrie dans son sillage griefs, commérages et fantasmes, rares sont celles qui auront suscité autant de rancœurs et de rumeurs, parfois infamantes, que « Domi ». Trop Blanche, trop blonde, trop gironde, trop française, trop riche, trop mondaine, trop sûre de ses talents. Et peut-être trop catho pour les uns et trop juive pour les autres, voire les mêmes. Pedigree, arrivisme, affairisme : celle qui, deux ans après le très chic pique-nique de « Yam », reçoit dans son bureau clair et cossu d'Abidjan tout en espérant – ADO est à Doha – un appel du Qatar, sait tout de ces procès, mais feint de les ignorer. Elle préfère commenter les cadres qui ornent les murs crème, portraits de famille, photo souvenir au côté de Nelson Mandela ou bénédiction apostolique signée de la main de Benoît XVI et soigneusement calligraphiée en lettres gothiques. Ou détailler, grandeur et servitude, les devoirs de sa charge. « Première Dame, admet-elle, c'est un métier. Avant, j'imaginais qu'il n'y aurait pas grand-chose à faire. Aujourd'hui, je me rends compte que les gens, femmes en tête, attendent beaucoup de vous. Solidarité, compassion et soutien. Vous êtes un peu leur icône, mais ils vous veulent proche d'eux, disponible, à l'écoute. Avec le temps, la mission a évolué. Il ne s'agit plus d'assumer avec élégance une fonction décorative. Même si, en l'absence d'Alassane, la mission de représentation demeure[1]. » La veille, la *First Lady* de Côte d'Ivoire a ainsi assisté au colloque organisé en hommage à l'historienne Henriette Diabaté[2], désormais grande chancelière de l'Ordre national, et rendu visite à la famille d'un général de la police assassiné deux mois plus tôt, lui offrant les condoléances de la présidence ainsi qu'un substantiel secours financier. Peut-on s'affranchir parfois du corset protocolaire ? « Oui, soutient-elle. D'ailleurs, je tiens à aller déjeuner une fois par semaine au restaurant, comme Mme Tout-le-monde. » A ceci près que Mme Tout-le-monde n'a que rarement l'occasion de garer sa BMW série 7 noire à vitres fumées devant la boutique Annie Corvall de la rue Saint-Honoré, à Paris, privatisée pour l'occasion, et d'y faire pendant

---

1. Entretien avec l'auteur, 14 mai 2013. Sauf mention contraire, toutes les citations figurant dans ce chapitre en sont issues.
2. Professeur d'histoire à l'université abidjanaise de Cocody, Henriette Dagri Diabaté a notamment été ministre de la Culture sous Félix Houphouët-Boigny puis garde des Sceaux sous Laurent Gbagbo. Elle est en outre depuis 1999 secrétaire générale du Rassemblement des républicains (RDR), le parti d'Alassane Ouattara ; lequel l'a nommée en mai 2011 grande chancelière de l'Ordre national de la république de Côte d'Ivoire.

plus d'une heure des emplettes agrémentées d'une collation livrée par un traiteur voisin[3].

## Le crève-cœur du « Vieux »

En guise de brevet d'africanité, Dominique Claudine Nouvian peut à juste titre invoquer le droit du sol : elle a vu le jour à Constantine, dans cette Algérie alors française, le 16 décembre 1953. Son père Guy, adjudant-chef de gendarmerie de son état, est un catho fervent ; quant à sa mère, elle vient d'une famille de confession hébraïque. « Maman s'est convertie au christianisme avant ma naissance, précise celle que ses procureurs les plus acharnés tiennent pour une "Juive honteuse". Ce qui a pu causer quelques tiraillements avec ses parents. » Soumis aux aléas de la carrière et de l'histoire, le *pater familias* atterrit bientôt avec les siens à Baden-Baden, fameuse ville de garnison allemande. Là, son aînée potasse le « bachot », tout en s'adonnant parfois le week-end au mannequinat. « Papa, confesse-t-elle, détestait ça. » Suivront les cours de gestion et de langues de l'université Paris X Nanterre, apprentissage assorti d'un coup de foudre imprévisible : Mlle Nouvian s'éprend de son prof de sciences économiques, Jean Folloroux, et l'épouse. C'est en compagnie de son conjoint, affecté au lycée professionnel d'Abidjan avant de se voir promu conseiller du directeur général de l'Enseignement technique Vamoussa Bamba, que la jeune mariée – 22 printemps tout juste – débarque en Côte

---

3. *La Lettre du Continent*, 13 septembre 2012.

d'Ivoire. Mais en 1983, après le décès du professeur Folloroux, la voilà seule avec charge d'âmes : deux enfants, Loïc et Nathalie, sont nés de cette union brutalement abrégée. Tour à tour assistante bilingue au bureau abidjanais de l'Onu puis « chargée d'administration » à l'ambassade du Canada, la veuve à peine trentenaire se lance alors dans l'immobilier, armée de trois atouts. Son énergie, son sens des affaires et une poignée d'intimes haut placés, dont Abdoulaye Fadiga, le gouverneur de la Banque centrale des Etats d'Afrique de l'Ouest, ou BCEAO, institution régionale logée à Dakar (Sénégal). D'emblée, l'Agence internationale de commercialisation immobilière (AICI) s'impose sur la place d'Abidjan. D'autant que le président Houphouët-Boigny lui confie la gestion de l'immense patrimoine qu'il détient, tant au pays qu'à l'étranger.

Ainsi lancée, Dominique étend méthodiquement son empire. Cap sur Paris, Cannes, Libreville puis Ouagadougou. Au Gabon, imitant en cela son aîné ivoirien, Omar Bongo lui délègue le soin de veiller sur ses biens, appartements, villas et hôtels particuliers que nul, à l'époque, n'aurait eu l'audace de juger « mal acquis ». Dans le fichier clients de l'AICI, un économiste à la trajectoire météorique : Alassane Ouattara, alors vice-gouverneur de la BCEAO, dont il prendra la tête à la mort de Fadiga, en 1988, après avoir occupé à Washington, quatre années durant, le fauteuil de directeur Afrique du Fonds monétaire international (FMI). L'idylle qui se noue entre la veuve au teint pâle et le technocrate musulman issu d'une noble lignée dioula du royaume de

Kong[4], père d'une fille et d'un garçon nés de son union avec l'Américaine Barbara J. Davis, et prénommés respectivement Fanta et Dramane, emballe le moulin à on-dit abidjanais. Et pour cause : dans les ambassades et les dîners mondains, Dominique passe pour la « bonne amie » d'Houphouët, patriarche baoulé guère enclin à la monogamie et qui, quoique marié depuis 1952 à la discrète Marie-Thérèse, entretient une liaison fort peu clandestine avec « La Paix », fille du deuxième président du Togo indépendant, Nicolas Grunitzky. La Paix, soit, mais pas nécessairement celle des ménages…

« Le Vieux, qui fut en son temps un sacré danseur, en pinçait pour les rondeurs de Domi, soutient un vétéran des antichambres françafricaines. Même si, à 70 balais bien sonnés, il avait passé l'âge des galipettes. » Il n'empêche : le Bélier de Yamoussoukro vit mal son infortune, si platonique fût-elle. Et plus mal encore la perspective du mariage en bonne et due forme de sa favorite et de celui qu'il a élevé en 1990 au rang de Premier ministre. « Je te laisse la femme, mais je garde la confidente », aurait-il ainsi rétorqué à Ouattara, venu solliciter son imprimatur. « Il s'est senti doublement trahi, soutient un témoin. D'autant que la fraîcheur et l'enjouement de Dominique, dont il était dingue, ensoleillaient son crépuscule. »

---

4. Fondé au XVe siècle par un prince d'ethnie dioula nommé Bokar Traoré, le royaume de Kong étendait son influence à cheval sur le sud de l'actuel Burkina Faso et le nord de la Côte d'Ivoire d'aujourd'hui. Peuple commerçant et nomade, les dioula sont de confession musulmane.

*Feux croisés*

La détresse de celui qui fut tour à tour médecin, planteur, leader syndical puis ministre d'Etat d'une France coloniale finissante[5] émeut jusqu'à l'Elysée. « Jacques Chirac l'a vu en pleurer, se souvient Michel de Bonnecorse, alors conseiller Afrique au Château. Il m'en a parlé à cinq ou six reprises. De là vient sans doute la méfiance que lui inspirera toujours Ouattara, tenu pour "celui qui a piqué la femme d'Houphouët"[6]. » Un visiteur jure l'avoir entendu pester contre « ce salaud de dioula », allusion à l'ethnie d'ADO. Quant aux dignitaires du régime invités aux épousailles, ils ne savent que faire. Y aller ou pas ? « Vous n'êtes donc pas assez grands pour trancher ? » leur assène le chef de l'Etat, irrité. « Beaucoup ont alors renoncé, raconte le journaliste Jean-Baptiste Placca, même si le Vieux finira par inciter l'un ou l'autre à honorer son bristol, ne serait-ce que pour lui dire qui était de la partie[7]. » Le psychodrame intrigue et déroute jusqu'au cœur de l'administration américaine. Témoin, cette note classée « Secret » et datée du 21 avril 2005, adressée au département d'Etat, fruit d'une conversation entre

---

5. Félix Houphouët-Boigny a été successivement ministre délégué à la présidence du Conseil sous Guy Mollet (1956-1957), ministre d'Etat de Maurice Bourgès-Maunoury (1957), ministre de la Santé publique et de la Population de Félix Gaillard (1957-1958), puis de nouveau ministre d'Etat au sein des gouvernements de Pierre Pflimlin, Charles de Gaulle et Michel Debré (1958-1961).

6. Entretien avec l'auteur, 18 octobre 2012.

7. Entretien avec l'auteur, 9 octobre 2012.

un diplomate US basé à Paris et le Français Bruno Foucher, alors sous-directeur pour l'Afrique de l'Ouest au Quai d'Orsay. *Lost in translation?* Le rédacteur du télégramme s'égare, se demandant – accrochez-vous – « si Chirac désapprouve quelque aspect de la relation entre Ouattara et sa femme du fait d'une relation antérieure hors mariage qu'elle pourrait avoir entretenue avec Houphouët-Boigny, ou d'une liaison que Ouattara aurait pu avoir avec la veuve du même Houphouët, ou de toute autre relation entre les parties ». Chers collègues de Washington, débrouillez-vous avec ça...

« A l'époque, avoue un quart de siècle plus tard "la Blanche Colombe" – surnom cher aux ouattaristes –, ces racontars m'on tuée. J'aimais beaucoup le président Houphouët, un homme merveilleux qui me traitait comme sa fille et ne supportait pas qu'on m'attaque injustement. Enfin, comment Alassane serait-il resté aux commandes du gouvernement s'il avait volé au chef d'Etat sa compagne? » Ironie de l'histoire, les coups, y compris les plus vils, venaient parfois de l'entourage du futur président Henri Konan Bédié, qu'une alliance ambiguë unit aujourd'hui à Ouattara. Mais voilà : en 1993, une infernale rivalité opposait les deux hommes, prétendants l'un et l'autre à la succession d'un Houphouët-Boigny agonisant ; et elle perdurera jusqu'aux premières lueurs du millénaire suivant. Si elle ne tarit pas d'éloges envers son épouse Henriette, qu'elle juge « adorable, pleine de bon sens et spontanée », nul doute que Dominique garde une dent contre « le bouddha de Daoukro », surnom usuel de Bédié.

Il va de soi que les porte-flingue de Laurent Gbagbo ont eux aussi matraqué Dominique et son époux; même si, là encore, l'afro-marxiste repenti fut associé, entre 1995 et 1999, au très libéral ponte du FMI au sein d'un improbable « Front républicain ». A l'époque, les Ouattara reçoivent de temps à autre les époux Gbagbo en leur villa de Mougins (Alpes-Maritimes). « Nos rapports étaient cordiaux, précise l'hôtesse de l'époque. Quand nous rentrions de Washington, il nous arrivait de dîner ensemble. Et je rapportais des Etats-Unis des traitements médicaux dont Simone avait besoin. » Que lui inspire la dérive sectaire et belliqueuse de celle-ci? « Beaucoup de tristesse. Si elle avait fait davantage de social et de caritatif et moins de politique, peut-être les choses auraient-elles tourné autrement. »

On épargnera au lecteur le détail de la logorrhée ouattaraphobe que résume fort bien le « mémorandum » diffusé sur la Toile et signé par l'ancien député Mamadou Ben Soumahoro, autrefois conseiller de « Laurent » à la présidence, ramassis haineux de ragots et d'obsessions censés discréditer le « couple diabolique ». Haro sur « l'âme damnée » froide et cupide, tantôt Mata Hari, tantôt veuve joyeuse, relookée de pied en cap par la chirurgie esthétique, accusée à demi-mot d'avoir hâté le trépas de son premier mari, supposément anéanti par ses frasques, ou encore celui de son bienfaiteur Houphouët, mais aussi d'avoir expédié au royaume des ancêtres une paire d'amants. Rien ne manque, pas même la sanie antisémite : « Ce que visait la petite Juive, lit-on, c'était l'argent. » « J'ai été beaucoup attaquée, insultée, diffamée, soupire la native de Constantine. Le

mensonge meurtrit toujours. Si j'avais été moins équi-
librée, sans doute aurais-je songé au suicide. Avec le
temps, j'ai pardonné. Mais je n'oublie rien. »

## La tentation de Mougins

Ni la rumeur, cette « déesse aux cent bouches » flé-
trie par Georges Brassens, ni le chagrin du Vieux ne
suffiront à saborder le mariage. Selon une légende
tenace, il aurait été célébré à Neuilly-sur-Seine par
un jeune et sémillant édile nommé Nicolas Sarkozy.
Faux : c'est à la mairie du XVIᵉ arrondissement de
Paris que, le 24 août 1991, un simple adjoint scelle
en présence d'une petite centaine de convives, ivoiriens pour la plupart, mais aussi de Martin Bouygues
– déjà – et de Jean-Christophe Mitterrand, l'union
d'Alassane et Dominique. Laquelle, « à l'aise dans un
sobre tailleur et une capeline jaune serin », tient en
outre à la main « un petit bouquet de giroflées[8] ». Nul
besoin de curé ou d'imam : pour les « Domiphobes »,
la messe est dite. A les en croire, la nouvelle Madame
Ouattara, que certains effrontés du Quai d'Orsay sur-
nomment – en privé – « la Pompadour » ou « l'amante
religieuse[9] », n'est qu'une arriviste, sinon une

8. Antoine Glaser et Stephen Smith, *Ces Messieurs Afrique.
Le Paris-Village du continent noir*, Calmann-Lévy, 1992.
9. Titre de « l'essai romancé de la vie d'une aventurière »
paru en 2012 chez L'Harmattan sous les plumes de Yasmina
Dini et Joseph Soroma ; roman à clé d'autant plus transpa-
rent que sur la couverture l'insecte vorace piégeant dans son
étreinte une Afrique rouge sang arbore une perruque blonde.
Dans un « Avertissement » chantourné aux allures d'aveu, les

croqueuse d'hommes, assez clairvoyante pour avoir jeté cette fois son dévolu sur un compagnon prometteur. « Pour le moins réducteur, objecte un ancien ambassadeur de France sur la lagune Ebrié. Qu'on le veuille ou non, leur histoire, née d'un authentique coup de foudre, est celle d'un couple épris et soudé. »

Cela posé, le même diplomate confirme ce qui se chuchotait depuis des lustres dans les chancelleries : « Au sein du tandem, le coach, c'est elle. A l'approche du scrutin présidentiel de 2000 [dont il sera écarté], Ouattara en a eu marre, au point de se replier sur Mougins, travaillé par la tentation de jeter l'éponge. Son épouse l'a remis en selle. Une semaine après, il était remonté comme une pendule. Cinq ans plus tôt, déjà, elle l'avait dissuadé de descendre du ring. Cette femme est une battante qui veut que son homme laisse une trace dans l'histoire. » Alassane doit-il pour autant à sa Pygma-lionne son avènement aux commandes de la BCEAO puis à la primature ? « Au moins en partie, assure un éditorialiste ivoirien. C'est bien Dominique qui a convaincu Houphouët de le nommer Premier ministre. Elle aura été l'aiguillon de sa carrière. » Aiguillon doublé d'une sentinelle. « Lorsque

---

auteurs soutiennent qu'il s'agit d'une « œuvre de pure fiction », mais que « toute ressemblance avec des personnages et des lieux contribuerait à [leur] entière satisfaction ». Ex-conseiller et porte-parole en Europe de Laurent Gbagbo, Bernard Houdin a quant à lui publié en octobre 2015 aux Editions du Moment un réquisitoire intitulé *Les Ouattara. Une imposture ivoirienne*, dans lequel il relègue Dominique au rang de « Mme Sans-Gêne des temps moderne » prête à toutes les vilenies pour « assouvir une ambition sans limite. »

Alassane m'a recrutée, soutient la conseillère en communication Patricia Balme, évincée de son équipe dès 2011, Dominique, très jalouse de nature, m'avait accueillie en ses termes : "Sachez qu'ici, tout passe par moi."[10] » Autant de thèses que, bien entendu, l'intéressée récuse, sans convaincre vraiment.

Une certitude : réélu dans un fauteuil le 25 octobre 2015, dès le premier tour d'un scrutin boudé par près d'un Ivoirien sur deux, ADO lui doit beaucoup, et à plus d'un titre. « Elle le tient par le fric », tranche une ex-confidente en rupture de ban. Femme d'affaires accomplie et pugnace – « avide et féroce », persiflent en écho ses détracteurs –, la « Blanche Colombe » constantinoise a amplement financé sa longue marche vers le pouvoir. Non que l'époux fût guetté par l'indigence. « J'ai un institut de conseil qui a des contrats de plusieurs millions de dollars avec des pays africains comme le Congo et le Gabon, claironnait-il au printemps 2011 [...]. Et au FMI, j'étais mieux payé que le président Clinton[11]. » Soit. Reste que Madame aura, au temps des vaches maigres, puisé dans le pactole amassé au fil de ses conquêtes. L'immobilier certes, mais aussi les cosmétiques. Dominique rachète ainsi en 1998 la franchise des salons de coiffure Jacques Dessange aux Etats-Unis, puis ouvre à Washington un institut de beauté très couru, à l'enseigne de French Beauty Services, société dont elle assume la direction générale. Plus tard, de retour en Afrique, elle investira dans le royaume des ondes, s'adjugeant le réseau ivoirien de radio Nostalgie. Une

---

10. Entretien avec l'auteur, 9 octobre 2012.

11. *Le Parisien*, 17 avril 2011.

fortune chimiquement pure? « Pas sûr, nuance un ancien conseiller Afrique de l'Elysée. Il se peut que Dominique ait mis la main sur une partie du grisbi d'Houphouët. C'est du moins ce qu'affirment certains des héritiers du Vieux, qui se disent spoliés. »

### Patrie et patrimoine

Qu'est-il advenu de ce petit empire? La *business-woman* s'en est délesté, du moins formellement, dès l'entrée de son époux au palais. « Alassane m'avait prévenue, confie-t-elle. Pas de mélange des genres : le jour où j'accède à la présidence, il faudra que tu abandonnes tes affaires. Pour moi, je l'avoue, ce fut un gros sacrifice. » Sacrifice temporaire et tempéré. Temporaire d'abord, car aucun antidote ne saurait terrasser le virus du Monopoly grandeur nature. « Je ne suis que de passage à la présidence, avance sa locataire. L'immobilier, la gestion de propriétés et le conseil en patrimoine me font palpiter. Sans doute y reviendrai-je un jour. » De fait, l'intéressée a eu une vie, et même plusieurs, avant de franchir les grilles du château. Dont celle de « chef d'entreprise dans le secteur privé ». « J'ai toujours eu mes sociétés, mes équipes, mon secrétariat et mon agenda, précise-t-elle. Ce qui me donne une certaine autonomie et la liberté de recevoir à peu près qui je veux. » Autant dire qu'à la tête d'un cabinet doté d'une quarantaine de collaborateurs, logé tout comme sa fondation Children of Africa – Enfants d'Afrique – dans un immeuble coquet de Cocody, la Première Dame ne se sent guère dépaysée. Tempérée ensuite, car l'ex-patronne garde un œil, sinon les deux, sur les fleurons de son épopée, qu'ils soient confiés à son amie Elisabeth Gandon ou maintenus dans le giron familial, et ne s'interdit pas de prodiguer avis et conseils. Sa fille Nathalie Folloroux-Bejani, 37 ans, a *de facto* hérité des commandes de l'AICI, l'agence immobilière de maman, qui compte sa sœur Véronique, par ailleurs décoratrice d'intérieur, au nombre de ses administrateurs. Mais aussi du gouvernail de Malesherbes Gestion, prospère cabinet d'administration de biens et de syndic de copropriété pourvu d'un portefeuille de 250 immeubles parisiens[12]. Son fils aîné Loïc, 41 ans, fondateur de la société de négoce Africa Sourcing (café-cacao) et patron du Groupement des négociants ivoiriens, a quant à lui pris en 2012 les rênes de Nostalgie-Côte d'Ivoire, après en avoir remanié à la hussarde le conseil d'administration, au sein duquel siège désormais Nathalie, déjà citée[13]...

---

12. *Capital*, 1er mai 2011.

13. En décembre 2015, le ministre de l'Agriculture a signé un arrêté sur le régime fiscal appliqué aux opérateurs cacaoyers, dont Loïc Folloroux n'a pas lieu de se plaindre. *La Lettre du Continent* a consacré en novembre 2013 un numéro très riche et très complet de sa collection « *Insiders* » à la Première Dame ivoirienne et à ses réseaux, éloquemment intitulé « Dominique Ouattara, aux confins des affaires et du *charity-business* ». On y découvre que l'intéressée s'appuie, qu'il s'agisse d'immobilier ou d'humanitaire, sur le même noyau dur de fidèles, parents ou amis. C'est ainsi qu'Elisabeth Gandon, aux manettes de Malesherbes Gestion comme de l'AICI, occupe en outre les fonctions de coordinatrice générale de Children of Africa.

Dans la famille Nouvian, les frères. Les voici. Patrick est médecin généraliste à Hyères (Var). Marc, 55 ans, a fondé en 2012 la Sonecei, société de négoce international spécialisée dans le commerce des fèves de cacao, qu'il anime avec sa sœur Noëlle. Quant à Philippe, quinquagénaire lui aussi, il a certes quitté la direction de la filiale gabonaise d'AICI, mais préside aux destinées du cabinet Gecmo, rompu aux secrets de la maîtrise d'ouvrage, de la gestion immobilière et de l'intermédiation financière. C'est à lui qu'échurent notamment le pilotage de l'appel d'offres de l'hôpital de Bingerville, si cher à son aînée, ainsi que le suivi des travaux de rénovation de la présidence[14]. Favoritisme ? « Non, objecte Dominique. Alassane, qui souhaitait un audit fiable par crainte de surfacturation, l'a sollicité du fait de ses compétences en matière de bâtiment. D'ailleurs, Philippe prend *peanuts* sur ce marché. Croyez-moi, il gagnait davantage au Gabon. » On l'aura compris : la protégée d'Houphouët n'échappe pas au procès en népotisme. « Je ne vais quand même pas demander à mes enfants d'arrêter de bosser parce que leur beau-père est chef d'Etat et leur mère Première Dame, argue-t-elle. Loïc a décroché un MBA à New York au terme de brillantes études. Et Nathalie, titulaire d'une maîtrise de gestion financière, a travaillé dix ans au sein du groupe TF1. » Groupe dirigé, est-il besoin de le rappeler, par l'ami Martin Bouygues.

Tout à un prix. A commencer par le Graal du pouvoir. Si elle l'ignorait, Dominique Ouattara l'a appris

---

14. *La Lettre du Continent*, 13 septembre 2012 et 31 juillet 2013.

à ses dépens. En 2000, prologue d'une décennie de braise, elle échappe à ce qui ressemble fort à une tentative d'enlèvement. « Les porte-flingue de Robert Gueï [le général putschiste qui renversa Bédié avant de briguer vainement la présidence dans les urnes] projetaient de la violer et de filmer la scène, afin de briser son mari », raconte une amie de l'époque. Par chance, des gamins de la rue alertent à temps ses employés : « Vite ! Allez dire à Maman que des corps habillés – hommes en uniforme – la cherchent. » Deux ans après, nouveau miracle. Tandis que la rébellion nordiste fonce sur Abidjan, les forces loyales au chef d'Etat élu Laurent Gbagbo traquent ADO, considéré non sans raison comme l'un des mentors des assaillants. Le 19 septembre 2002, vers 14 h 15, un blindé de la gendarmerie enfonce le portail métallique de la villa des Ouattara, dans le quartier de Cocody, ouvrant la voie à un commando d'une trentaine de gros bras en treillis, emmenés par Anselme Seka Yapo, dit Seka Seka, garde du corps de Simone Gbagbo et chef d'un « escadron de la mort » à la solde de la présidence. Par chance, le couple est parvenu quelques secondes auparavant à franchir au moyen d'une échelle le mur qui sépare leur demeure de celle de l'ambassadeur d'Allemagne, aussitôt assiégée. Alassane décide alors de se rendre. « Si nous partons, lui objecte son épouse, ce sera ensemble. » C'est alors que leur parvient un appel de l'ambassadeur français Renaud Vignal. « Ne bougez pas, leur intime-t-il. Chirac vient de m'ordonner de venir vous chercher moi-même. » Voilà comment, au cœur de la nuit, le futur président ivoirien et son épouse, affublés de gilets pare-balles, rallient la résidence de France à l'arrière d'une berline diplomatique, tandis qu'une BMW noire fait office de leurre motorisé[15]. « Un épisode affreux », murmure la rescapée dix ans après.

## *D.O.* gratias

Si certaines reines d'Afrique s'exposent au reproche de tarder à endosser leur costume de scène, d'autres encourent le grief de s'y être glissées trop tôt, quitte à jouer les Premières Dames avant l'heure. Encouragée en cela par Marc Gentilini, alors patron de la Croix-Rouge française, Dominique a ainsi créé sa fondation, baptisée Children of Africa (COA), dès 1998, à l'heure où son époux, de retour à Washington, exerçait les fonctions de directeur général adjoint du FMI. « Comme si l'humanitaire devait rester l'apanage des seules femmes de chef d'Etat en exercice ! s'insurge-t-elle. Je m'y suis investie avant qu'Alassane devienne président. Et je continuerai après qu'il aura cessé de l'être. » A l'évidence, son activisme, ses réseaux et sa force de frappe financière gênent alors les caïmans du marigot ivoirien. Successeur d'Houphouët au palais, Henri Konan Bédié aurait ainsi prié son homologue et ami Jacques Chirac d'entraver la tenue à Paris d'un gala de COA. Et pas seulement par souci d'épargner à l'œuvre de sa moitié Henriette, baptisée Servir et toujours active dans le domaine des

---

15. *Paris-Match*, 20 février 2003. L'auteure de cet article, Caroline Mangez, aujourd'hui rédactrice en chef Actualités de l'hebdomadaire, compte au nombre des amies de Dominique Ouattara.

affections rénales, une concurrence jugée déloyale. Il faut dire que dans l'art délicat de la collecte d'argent frais caritative et mondaine, l'ex-demoiselle Nouvian n'a que peu de rivales. Pour preuve, cette soirée paillettes et jet-set de février 2012, dans les salons de l'hôtel Ivoire d'Abidjan. Le *casting* ? La princesse Ira de Fürstenberg, inamovible marraine de la fondation, la divine Adriana ex-Karembeu, la diva du gospel Liz McComb, Alain Delon, paré du titre d'« invité d'honneur », les chanteurs Salif Keïta et Alpha Blondy, le sage rappeur MC Solaar et les footeux Didier Drogba et Samuel Eto'o ; avec, en cuisine, le chef étoilé Guy Savoy. Tarif de la « Table d'or » de dix couverts, idéalement située : 7 500 euros ; soit 1 500 de plus que la « Table d'argent ». Or et argent appelés à financer le chantier de l'hôpital Mère-Enfant de Bingerville[16]. Rebelote le 29 juin 2013, au soir de la pose de la première pierre de cet établissement que Dominique tient pour « son bébé ». Pour l'occasion, on la vit, radieuse, manier la truelle en robe afro à damiers au côté de son président de mari. Cette nuit-là, plusieurs dizaines de donateurs mirent la main au portefeuille, pour un montant total de 4 milliards de francs CFA, soit plus de 6 millions d'euros[17]. L'édition 2016 du gala annuel de COA n'aura nullement dérogé à la

---

16. Une luxueuse plaquette détaille sur papier glacé cette scintillante distribution et présente les temps forts de la soirée : dîner fin, défilé de mode, tombola et vente aux enchères. Lot n° 1 : deux petits éléphants en cristal de roche, « recouverts de bronze doré incrusté de turquoises et d'améthystes », œuvres de Son Altesse Sérénissime Ira de Fürstenberg.

17. *La Lettre du Continent*, 3 juillet 2013.

tradition. Les 363 photos postées sur le compte Facebook de la fondation dessinent les contours d'une distribution glamour et follement parisienne : Catherine Deneuve, à l'évidence terrassée par l'ennui, Juliette Binoche, radieuse, Carla Bruni-Sarkozy, les humoristes Jamel Debbouze et Franck Dubosc coudoient le footballeur ivoirien Yaya Touré ou les habitués de la planète business, Bouygues et Bolloré en tête. Sur les fourneaux de ces agapes plane cette fois la toque du chef triplement étoilé Yannick Alléno.

« Quand vient l'heure de la tombola, s'amuse un patron de presse, ministres et capitaines d'industrie ont tout intérêt à se montrer et à ne pas jouer les radins. » Au demeurant, la dramaturgie de telles agapes se révèle rarement anodine. En témoigne le gala de bienfaisance du 26 octobre 2012, voué au financement d'un centre d'hémodialyse. L'occasion, pour un homme d'affaires ivoiro-libanais, en délicatesse avec la justice, de s'adjuger au prix fort un bijou, aussitôt offert à la Première Dame[18]. Il arrive que stars et starlettes se voient dispensées d'expédition tropicale, quitte à faire escale au palais de Chaillot entre Johnny Hallyday et Naomi Campbell. Nos VIP seraient-ils mus par la seule noblesse de la cause ? « Pas toujours, rétorque une initiée. Je sais par quel canal une actrice idolâtrée a pris 300 000 francs lors d'un méga-dîner concocté par Bernard Loiseau. Et Delon se déplace rarement pour des nèfles. »

---

18. *La Lettre du Continent*, 8 novembre 2012.

*Femme d'affaires un jour, femme d'affaires toujours*

Il serait inique, bien sûr, de réduire le dispositif de
Children of Africa à ces sauteries pour *happy few*, ou
aux Arbres de Noël fort peu africains – avec magi-
ciens, clowns et distribution de jouets – que chérit
tant la Première Dame. Logée dans le quartier du
Plateau, la Case des enfants, sa vitrine abidjanaise,
héberge et éduque une cinquantaine de mineurs,
garçons et filles à parité, orphelins, abandonnés ou
maltraités. Attentive et dévouée, l'équipe d'encadre-
ment n'est pas peu fière de raconter l'aventure de
cet ancien pensionnaire devenu prof d'ébénisterie,
ou celle de la lente renaissance de ce naufragé de
la jungle urbaine, échoué ici sans nom ni mémoire.
Pour le reste, l'action de COA repose sur un arsenal caritatif classique, de la consultation ophtalmo-
logique au bus de vaccination, *via* le don de kits
scolaires aux écoliers démunis. Son rayon d'action
porte au-delà des frontières ivoiriennes : dotée d'un
bureau parisien, la fondation a essaimé dans onze
pays, dont le Cameroun, le Mali, le Burkina Faso, la
République centrafricaine et Madagascar. A l'échelle
continentale, Dominique Ouattara s'était également
engagée, au côté de son amie ivoiro-burkinabé Chantal Compaoré et au sein de Synergies africaines, dans
le combat contre le labeur des mineurs, phénomène
répandu dans les industries extractives comme sur
la planète café-cacao. « Un enjeu transfrontalier »,
insistait-elle en mai 2013. Le mois suivant, la présidente du Comité national de surveillance des actions
de lutte contre la traite, l'exploitation et le travail des

enfants lancera d'ailleurs un « Système d'observation et de suivi », baptisé Sosteci.

« A mon sens, souligne Dominique Ouattara, la mission dont j'ai hérité est avant tout humanitaire, puis sociale. Mais non politique. La politique, je ne sais pas faire et je ne veux pas faire. » Est-ce si simple ? Certes, la Première Dame prend soin de minimiser son rôle en la matière. « Comme n'importe quel couple, précise-t-elle, mon mari et moi discutons de tout à table. Je peux attirer son attention sur le sort des laissés-pour-compte ou le devenir d'un hôpital. Reste que lui seul décide. Il me serait facile de promouvoir Untel, mais je m'en abstiens. Tout comme je veille, s'agissant du champ d'action de ma fondation, à ne pas marcher sur les plates-bandes des ministres. Lors de la campagne électorale de 2010, j'étais disposée à m'effacer, du fait des relents francophobes du discours de Gbagbo. Alassane a refusé. » Excès de modestie de la part d'une femme plus attachée qu'elle l'avoue aux égards protocolaires. « Quand ça chauffe, résume Venance Konan, le directeur général du groupe Fraternité-Matin, celui qui redoute une disgrâce se précipite chez elle[19]. » Il arrive d'ailleurs que la *First Lady* accueille le plaideur par cette formule : « Alors, toi aussi tu viens pleurer chez Maman... » A en croire les vigies des jeux de pouvoir abidjanais, rien de tel qu'un contentieux avec

19. Entretien avec l'auteur, 13 mai 2013. Nul ne mésestime l'influence de Madame : le 28 janvier 2014, Air France lui a conféré le statut de marraine officielle du vol inaugural de son Airbus A380 sur la ligne Paris-Abidjan (*La Lettre du Continent*, 12 février 2014).

« Fanta Gbé » – le surnom dioula de la femme du chef – pour vous plomber une carrière. A l'inverse, plusieurs poids lourds peuvent se prévaloir de sa bienveillance, à commencer par l'ex-chef rebelle Guillaume Soro, aujourd'hui titulaire du perchoir de l'Assemblée nationale, le secrétaire général de la présidence Amadou Gon Coulibaly ou le ministre de l'Intérieur Hamed Bakayoko, dit « Hambak », qui fut son partenaire au sein de Nostalgie. De même, l'homme d'affaires Adama Bictogo devrait en partie à Dominique son accession au portefeuille de l'Intégration africaine. Reste que le statut, mérité ou pas, de protégé de Madame ne saurait valoir indulgence plénière : incriminé dans le scandale du *Probo Koala* – une affaire de déchets toxiques meurtriers datant de 2006 –, le même Bictogo fut limogé en mai 2012. Disgrâce passagère : il sera en 2015, en sa qualité de secrétaire général adjoint du RDR et d'intime du sortant, l'un des stratéges de la campagne victorieuse d'Alassane Ouattara. Le constat vaut pour la sphère économique. Mieux vaut, là encore, passer pour proche de « Domi ». Tel est le cas du *businessman* ivoiro-libanais Hassan Hijazi, bienfaiteur de la fondation COA et propriétaire en titre de la résidence de Cocody, élevé le 7 août 2013 au grade d'officier de l'Ordre national du mérite[20]. Autre vieil ami du couple, déjà cité, Martin Bouygues, héritier de la dynastie fondée par son père Francis. A l'évidence, sa complicité avec les Ouattara, auxquels il présenta Nicolas et Cécilia Sarkozy – devenue Attias depuis lors –, n'aura pas nui aux intérêts de l'actionnaire

---

20. *La Lettre du Continent*, 31 juillet 2013.

majoritaire de TF1 : à lui le marché du troisième pont sur la lagune ; à lui aussi, *via* la filiale hydrocarbure Foxtrot, l'exploitation du champ gazier Manta. Lorsque, en mai 2013, *L'Intelligent d'Abidjan* consacre un cahier à la « renaissance ivoirienne », ses concepteurs jugent opportun de faire figurer à la une cet appel : « Relance économique, la partition de la Première Dame. » La partition ? Il faut, pour en écrire une, connaître la musique.

### Le cap et la ligne

Etrillée par les plumitifs du clan Gbagbo, « Fanta » a droit en revanche, dans les médias d'Etat, à un traitement de déesse vivante. Témoin, le portrait hagiographique publié en mai 2011 dans le spécial investiture de *Fraternité-Matin*, sous le titre « Derrière un grand homme… ». Entendez, comme le veut l'aphorisme au machisme désuet, « il y a toujours une grande femme ». Hommage donc, au « dynamisme avéré » et à la « légendaire courtoisie » de celle-ci, héroïne « généreuse », « moderne » et bardée de trophées d'une étincelante *success story*…

Maquillage, coiffure, garde-robe : l'ex-mannequin de Baden-Baden, qui prise autant les boubous colorés taillés sur mesure que la haute couture *made in Europe*, apporte à son apparence un soin extrême. « Avec une obsession, insiste Patricia Balme : sa ligne. Du régime Dukan à l'acupuncture, elle a tout essayé depuis vingt ans pour contenir sa tendance naturelle à l'embonpoint. Pour elle, une vraie

souffrance[21]. » La carapace que Dominique a tenté
de se forger au fil des ans et des batailles peut
encore se fendiller. Lorsque au détour d'un portrait,
*Le Monde* fait allusion à la rumeur d'une liaison
nouée jadis avec Houphouët, elle exige la parution d'un droit de réponse[22]. Et c'est en vain qu'à la
même époque le journaliste de *Libération* Thomas
Hofnung sollicite un entretien. « A l'évidence, l'entourage du nouveau président ne souhaitait pas que
son épouse apparaisse sur l'avant-scène », relève le
confrère éconduit. Une retenue également suggérée
en ce temps-là par Image 7, l'agence d'Anne Méaux,
qui veille depuis lors sur la com' des époux[23]. On
n'en est plus là. Voyages officiels, tournées provin-
ciales, inaugurations : la Constantinoise ne joue pas
vraiment les Arlésiennes. « C'est simple, tranche un
diplomate : Dominique ne quitte quasiment jamais
Alassane d'une semelle. »

Tueuse ou midinette, pionnière ou carriériste,
*mater familias* ou intrigante, compatissante ou
calculatrice : jamais la reine d'Abidjan ne ralliera
tous les Ivoiriens à son panache blond. « Au village,
assure-t-elle pourtant, on ne voit plus ma couleur de
peau. Je ne me sens pas étrangère dans le regard de
l'autre. Quand je partirai, je voudrais au moins que

21. Entretien avec l'auteur, 9 octobre 2012.

22. *Le Monde*, 21 mai 2011.

23. Bien avant de nouer des liens amicaux avec Anne
Méaux, Dominique Ouattara avait confié à Claudie Stolz,
fondatrice du cabinet éponyme, l'image de Children of Africa
ainsi que l'orchestration de plusieurs galas au profit de cette
fondation.

l'on dise ceci : "On l'aimait bien ; elle s'est battue pour notre pays." » Elle aura aussi et surtout lutté pour que cette patrie d'adoption devienne vraiment la sienne.

# Viviane Wade

## La tirailleuse sénégalaise

A cet instant, Viviane a craqué, submergée par l'amertume. Incongrue et soudaine, la scène date du 1er juillet 2012, jour des élections législatives consécutives à la débâcle, lors du scrutin présidentiel de mars, du sortant Abdoulaye Wade, parvenu à la magistrature suprême en 2000 mais terrassé au second tour par son ancien Premier ministre Macky Sall. Elle a pour théâtre le bureau de vote numéro 1 du Centre Fadilou-Mbacké du Point E, quartier résidentiel de Dakar. Venue s'acquitter de son devoir civique, l'épouse du vaincu s'empare du bulletin de la coalition Bokk Gis-Gis – « Vision commune » en langue wolof –, alliance de dissidents d'un Parti démocratique sénégalais (PDS) hier tout à la dévotion de son mari, et le déchire. Puis, bras tendus et poignets croisés, dans la pose du délinquant promis aux menottes, elle fond sur un policier pétrifié. On comprend l'embarras du cerbère. Quelle contenance adopter face à cette quasi-octogénaire frêle et hautaine aux mèches blondes et aux lunettes de soleil XXL, qui fut la Première Dame du pays de la Teranga douze années durant? Entre dépit et défi, son geste dit assez l'intensité de la rancœur de celle qui n'admet pas le désaveu des urnes, brutal clap de fin d'un rêve éveillé en noir et blanc : l'histoire de la petite Viviane Madeleine Vert, beauté gracile et docile de la bourgeoisie bisontine, dont le destin bascula soixante ans plus tôt, à la seconde même où ses yeux bleus accrochèrent le regard charmeur d'un échalas à la peau d'ébène prénommé Abdoulaye, juriste en herbe et avocat en devenir de sept ans son aîné. Si éloquent déjà. Déjà tellement brillant, hâbleur et imbu de lui-même.

Pourtant, en cet été 2012, « la Sénégalaise d'ethnie toubab » – dignité revendiquée, empruntant au parler local le surnom donné aux Blancs – n'a que trempé les lèvres dans le calice de la disgrâce. La lie et l'hallali, elle y goûtera le 17 avril 2013, quand son fils chéri Karim, menotté quant à lui pour de bon, franchira le portail de la fameuse prison dakaroise de Rebeuss, sur ordre de la Cour de répression de l'enrichissement illicite (Crei) ; laquelle l'accuse de détournements de fonds publics dans l'exercice des fonctions éminentes et multiples qu'il occupait auprès de son père, et le condamnera le 23 mars 2015, au terme de huit mois d'une procédure chaotique, à six ans fermes et à une amende équivalente à 210 millions d'euros. Réclusion injuste et infamante, dans l'esprit de Viviane Wade, que celle de cet aîné vénéré, jugé seul digne d'empoigner le jour venu le sceptre républicain de papa. Dès lors, on s'attendait à tout instant à voir « Tata Vivi » quitter la retraite versaillaise où, depuis huit mois, elle se morfondait au côté de son mari, et débouler au parloir de Rebeuss. En fait, ce n'est que douze semaines après l'incarcération du dauphin déchu que la toubab prendra place, en solo, dans un vol Paris-Dakar d'Air France. Comme si elle voulait croire que l'épreuve ne durerait que le temps d'un cauchemar, ou craignait de valider par sa venue une telle forfaiture. Comme si la battante se sentait trop groggy pour remonter plus tôt sur le ring. Intransigeance gaullienne ? C'est donc le 18 juin que la mère meurtrie répondra à l'appel du cœur et du sang. Meurtrie, mais toujours aussi raide : à l'arrivée, elle refuse la limousine qui l'attend au pied de l'échelle de coupée tout comme l'escale par le salon d'honneur. A peine l'illustre passagère consent-elle à ce qu'un membre éminent du comité d'accueil s'empare de son bagage. Quatre mois plus tard, elle posera de nouveau ses valises dans l'ancienne capitale de l'Afrique occidentale française (AOF). Durablement cette fois. « Ce n'est pas l'ex-Première Dame mais la mère qui est à Dakar, insiste-t-on dans son entourage ; et elle y restera jusqu'à la libération de Karim[1]. »

Nul doute qu'en fait de pèlerinage, la Franc-Comtoise préféra infiniment celui, princier, qu'elle et le « Gorgui » – le Vieux, l'un des surnoms d'Abdoulaye – accomplirent trois jours durant en mai 2005 à Besançon, sur les traces de leur commune jeunesse. Tapis rouge pour le couple, reçu avec les honneurs dus au rang de Monsieur par le maire de la ville, le préfet du Doubs et le président du conseil régional de Franche-Comté. Au passage, le président sénégalais,

---

1. *Jeune Afrique*, 10 novembre 2013.

si friand de lauriers académiques, y cueillera un énième doctorat *honoris causa*, moins exotique que d'autres car décerné cette fois par l'université où il étudia le droit et l'économie entre 1952 et 1957. Mais le revenant sera surtout fêté par les anciens du barreau bisontin, à la faveur d'une cérémonie dans les locaux de la cour d'appel du cru. Là où, un demi-siècle auparavant, il avait prononcé son serment d'avocat. « Emouvantes retrouvailles, se souvient le diplomate André Parant, alors fraîchement nommé ambassadeur de France à Dakar, invité par les époux Wade qui le savaient originaire de ce terroir. De tous ces promotionnaires réunis, Abdoulaye était de loin le plus fringant[2]. »

### Devant notaire

En marge de ce bain de jouvence, Viviane évoquera volontiers le prologue d'une idylle nouée selon la version autorisée, pieusement relayée par la presse magazine française, dans les couloirs de la fac[3] ; de même que l'acrobatique séance de présentation du prétendant subsaharien à ses parents, cathos bon teint pourtant familiers du Sénégal. Son père, Marcel Vert, y fut dans une vie antérieure coopérant et enseignant, et possède alors à Dakar une résidence et quelques terrains. Dans les colonnes de l'hebdomadaire féminin *Elle*, Viviane soutient que sous l'Occupation elle joua les courriers au guidon de son

---

2. Entretien avec l'auteur, 16 juillet 2013.
3. *VSD* du 30 mars 2000 ; *Elle* du 10 juillet 2000.

vélo, pour le compte de ce papa résistant. « Mon engagement vient de là », affirme celle qui, née en septembre 1932, fut scolarisée à Dôle (Jura) puis à Chaumont (Haute-Marne), avant de fréquenter les amphis de la faculté des lettres de Besançon. De retour en métropole, Marcel tiendra un temps avec son épouse Rose le café de Trépot, petit village du Doubs, tout en veillant sur Viviane et son frère adoré, Roger.

Les réticences parentales s'expliquent. Quitte à écorner la légende conjugale, l'essayiste Souleymane Jules Diop révèle dans une biographie fouillée écrite d'une plume alerte que « la jolie Bisontine aux yeux turquoise » était unie depuis 1952 par les liens sacrés du mariage à un richissime imprimeur franc-comtois prénommé André[4]. L'histoire de sa rencontre avec le futur « pape du sopi » – le changement en wolof – aurait ravi Gustave Flaubert. Dans le domaine cossu où l'installe son époux, souvent appelé par ses affaires à sillonner la France, Viviane mène entre domestiques et cuisinière une vie princière mais languide. Elle y reçoit parfois son amie sénégalaise Péréné Diagne, venue se former à Besançon au métier de sage-femme. Un jour, celle-ci débarque escortée par un « cousin » du pays, alors stagiaire au sein d'un cabinet d'avocats de la ville. Lui reviendra souvent. Au gré d'échanges fiévreux et complices sur les ravages du colonialisme et la révolte de l'Algérie asservie, l'harmattan de la passion vient s'engouffrer sous les moulures du salon bourgeois. Ainsi commence ce que, dans la haute

---

4. Souleymane Jules Diop, *Wade, l'avocat et le diable*, L'Harmattan, 2007.

société du cru, on appelle avec une moue consternée une « liaison adultérine ».

C'est à une ruade qu'André, aussi épris qu'absent, doit d'apprendre son infortune. Hospitalisée après une méchante chute de cheval, la belle blonde réclame de temps à autre, sur son lit de douleur, des nouvelles d'un certain « Abdoulaye ». Sommé d'identifier l'inconnu, le personnel de maison vend la mèche. Dès lors, Viviane fait crânement face à une triple adversité, qui ne fait que doper son entêtement d'amoureuse. Elle doit affronter la détresse d'André, qui refuse le divorce, l'hostilité de sa famille et de son milieu, mais aussi celle, latente, du vieux Moor Toolé Wade, le père de son amant, enclin à destiner le brillant fiston à une cousine musulmane. A-t-elle vraiment prié par lettre le Vatican de l'affranchir de son indissoluble serment ? Si tel est le cas, ce fut en vain. Ni église ni mosquée. C'est dans l'étude de M^e Collin, notaire à Belfort, que Viviane et « Ablaye » scellent leur union, le 27 juin 1963. Etudiante sans diplôme, plus éclectique et curieuse qu'assidue, Viviane a sacrifié par amour, non une carrière d'avocate ou de magistrate, comme elle le suggère parfois, mais une destinée confortable, linéaire et pour tout dire ennuyeuse.

### Epouse, banquière et cantinière

Elle déjà mariée ; lui déjà père. Et depuis un bail. Comme le précise Diop dans son ouvrage, le futur chef d'Etat, à l'époque instituteur à Thiès, avait 21 ans lorsque naquit Moustapha, fruit de son aventure avec une infirmière nommée Binta Ndiaye. « Un enfant reconnu mais clandestin, présenté comme le fils de son frère Adama, précise l'auteur, aujourd'hui conseiller de Macky Sall. Sujet tabou, que jamais Wade n'a abordé avec sa femme[5]. » Cela posé, comment ignorerait-elle que le neveu fictif a officié un temps au service du protocole de l'ambassade du Sénégal à Paris ? Si ce nuage-là ne fit qu'assombrir le ciel conjugal, quelques orages l'embraseront. A commencer par celui que déclenchera l'irruption auprès du Gorgui de l'énergique ministre d'Etat Aminata Tall. « En 2003, raconte un témoin privilégié, Viviane a même quitté le palais pour rejoindre sa fille Sindiély à Genève, avec à la clé ce marché : je ne rentrerai pas tant que cette femme sera là. » Elle rentrera. Mais seulement après l'aménagement à la hâte, au neuvième étage de la présidence, d'un bureau où loger la rivale réelle ou supposée. Séducteur impénitent, l'astre Wade adore voir graviter dans son orbite, et notamment au sein du gouvernement, un bataillon du beau sexe. « Où sont mes femmes ? », se plaît-il parfois à tonner à la cantonade.

Que pèse, à l'échelle d'une vie, cette boutade de mâle dominant, au regard de cet autre mantra si souvent entendu au fil des décennies : « Mais où est passée Viviane ? » Par-delà les tempêtes, la blonde fille de l'Est aura toujours été son nord magnétique, sa boussole. Il la rabrouait souvent, y compris en public ? Certes. « Il n'était pas rare qu'Ablaye rudoie une Viviane encline à se faire humble, sur le mode : "Bien sûr, je n'y connais rien, mais…",

5. Entretiens avec l'auteur, 21 juillet et 14 août 2013.

confirme l'écrivain Jean-Christophe Rufin, ambassadeur de France à Dakar de 2007 à 2010. Peut-être
ces rebuffades relevaient-elles au fond d'un jeu de
rôles conjugal[6]. » Reste, souligne Souleymane Jules
Diop, qu'après les tonitruants « Tais-toi ! », résonnait
souvent, fût-ce *mezza voce*, cette demi-reddition :
« On va faire ce qu'elle a dit. » Des usages de table
aux codes de l'élégance vestimentaire, Viviane lui a
tant appris. « Elle a tenu bon, relève Diop. Elle a sup-
porté toutes les vexations, les avanies, les sautes d'hu-
meur. » La Bisontine, relève-t-il joliment plus loin, a
« réuni ses deux V » – ceux de Viviane Vert – « pour
faire son W » – l'initiale d'« Ablaye » Wade. Autre biographe – moins incisif – de ce dernier, Cheikh Diallo
consacre pas moins de quatre chapitres au rôle cru-
cial qui fut le sien auprès du grand homme[7].

Elle aura été sa maîtresse, son épouse, sa conseillère, sa confidente, sa garde-malade, son infirmière,
sa diététicienne, mais aussi sa banquière. L'argent de
papa Vert, celui laissé par André : tout sera consumé
sur le bûcher des vanités politiques. « Viviane a
contribué à financer son aventure, confirme Michel
de Bonnecorse, l'ancien conseiller Afrique de Jacques
Chirac à l'Elysée, en poste à Dakar de 1978 à 1982.

6. Entretien avec l'auteur, 24 octobre 2012.
7. Cheikh Diallo, *Si près si loin avec Wade*, Edicef, 2006.
Juste retour des choses ? Il arrive désormais à l'ex-Première
Dame d'intimer le silence à son époux, si l'on en croit ce
témoignage d'un visiteur du couple, cité par *Jeune Afrique* :
« Il [Abdoulaye] aime à raconter sa vie de chef de l'Etat.
Parfois, Viviane l'interrompt d'un "Tais-toi, laisse-moi parler !" et ça amuse beaucoup les convives » (*Jeune Afrique*,
10 novembre 2013).

Elle fournissait les expatriées françaises en corsages en dentelle, sacs et autres colifichets confectionnés par des jeunes filles œuvrant au sein d'orphelinats catholiques ou de sociétés de bienfaisance musulmanes. Et le *business* marchait très bien[8]. » Version bien moins altruiste que celle livrée par l'intéressée : il s'agissait selon elle de fournir aux brodeuses du quartier de Malika une activité et un revenu...

Bienfaitrice, donc, et cantinière. Lorsque, bien avant son fils, le turbulent opposant à Léopold Sédar Senghor puis à Abdou Diouf, les deux premiers chefs d'Etat du Sénégal indépendant, tâte en 1988 de la prison, sa femme lui apporte chaque jour sa pitance, de peur qu'il succombe dans sa cellule à un empoisonnement. C'est d'ailleurs elle qui avait alors préparé la valise du captif, « des sandales à la petite laine, en passant par l'insecticide[9] » et la planque dans un placard. Au fond, Viviane aura nourri en son sein sa seule ennemie, bien plus redoutable que les amazones qui virevoltaient autour du chef : Sa Majesté Pouvoir. « Elle a cru qu'elle le dompterait, écrit Diop, qu'elle triompherait de cet amour bestial de la politique. »

### Et pour le pire

« Sa constance, son opiniâtreté au long des années d'ombre et de lutte inspirent le respect », reconnaît l'ex-ambassadeur Jean-Christophe Rufin. Viviane a

---

8. Entretien avec l'auteur, 18 octobre 2012.
9. *Elle*, 10 juillet 2000.

été et demeure la compagne de tous les instants. Les meilleurs comme les pires. Et des pires, il y en eut. Dans un brûlot paru en 2005[10], le polémiste Abdou Latif Coulibaly – futur ministre de la Promotion de la bonne gouvernance de Macky Sall puis secrétaire général du gouvernement – lui attribue un rôle de comparse dans les préparatifs du meurtre, le 15 mai 1993, de Babacar Sèye, juge à la Cour suprême et bras droit du président du Conseil constitutionnel de l'époque Youssoupha Ndiaye. Ténébreuse affaire. Dans son ouvrage, Coulibaly accuse le Gorgui et son entourage d'avoir commandité le crime, et cite le témoignage d'un des membres du trio d'assassins, selon lequel Viviane soi-même leur aurait remis le 3 février précédent, sur instruction de son époux et dans la salle de séjour du couple, un demi-million de francs CFA en cash, somme destinée à l'achat d'armes et à la location d'un véhicule. « Si les tueurs étaient sans aucun doute très proches des Wade, nuance un vétéran du marigot dakarois, il n'a jamais été établi de manière probante qu'ils ont agi sur ses ordres. » Scénario pourtant envisagé par la justice, puisque la future Première Dame sera, à l'instar de son époux, un temps inculpée. C'est d'ailleurs aux instances de François Mitterrand que le couple devra l'abandon des poursuites…

La presse people hexagonale, elle, s'en tient au conte de fées glamour. En avril 2001, le magazine *Gala* consacre quatre pages émerveillées à « la Dame Blanche du Sénégal ». Surnom pâtissier pour un

---

10. Abdou Latif Coulibaly, *Affaire M^e Sèye, un meurtre sur commande*, L'Harmattan, 2005.

portrait doux et sucré : il y est question d'une pasionaria « toute menue mais étonnante d'énergie, d'in-
telligence, d'humanité ». En ouverture, l'héroïne pose
entre les deux lions dorés du perron du palais présidentiel de l'avenue Léopold-Sédar-Senghor, blanche
bâtisse à la solennité désuète. « Le destin, lit-on en
sous-titre, a fait de cette Française catholique la *First
Lady* de Dakar, mariée au président Abdoulaye [*sic*],
un Noir musulman. » Suit un credo qui ne résistera
guère aux outrages du temps. Ainsi, Viviane « fait la
moue » à l'énoncé du titre de Première Dame. « Nous
le sommes toutes », objecte-t-elle. Puis la Bisontine
tient à préciser que, n'étant pas Jackie Kennedy, elle
s'est abstenue de « refaire la déco » de sa nouvelle
demeure. Qu'on se rassure, ça viendra. Plus tard,
l'anti-Jackie veillera aussi, jusqu'au moindre détail,
sur l'aménagement intérieur de l'avion présidentiel,
baptisé *La Pointe de Sangomar*[11]. Pour l'heure, la maîtresse de céans se dit « effarée » par la corruption
et promet de « profiter de son relatif pouvoir pour
prôner la transparence financière ». Vœu pieux, ainsi
qu'on le verra. Enfin, la compagne de l'élu récuse
comme il se doit le concept de charité, jugeant pré-
férable d'« apprendre un métier » à ces Africains
« aujourd'hui si démotivés ». L'été précédent, l'hebdomadaire *Elle* avait relaté sur un mode épique
l'atterrissage de « la rebelle officielle ». Il lui fallut,

---

11. Depuis son acquisition en 1978 par Léopold Sédar
Senghor, l'avion présidentiel sénégalais porte le nom de
l'étroite bande de sable qui, au débouché du delta du
Saloum, marque la fin de la Petite-Côte. Cette flèche litto-
rale est un lieu de culte chez les Sérères.

apprend-on, dératiser les sous-sols d'un palais « infestés de rats et de cancrelats », jadis résidence officielle du gouverneur général de l'AOF, changer les rideaux et les plinthes du salon, expédier au rebut quelques « vilaines » statuettes, mais aussi virer l'intendant, coupable de passer son temps à jouer aux dames et à regarder la télé. Rebelle, certes, mais femme d'intérieur. Au rayon des clichés, il en est au moins un qui aura bien vieilli : la Dame Blanche et son « musulman noir » forment un tandem robuste, soudé par les aléas d'une longue et cahoteuse quête du Graal politique. Constat corroboré par tous ceux qui eurent l'insigne honneur de dîner à leur table. « Un vrai couple, quasiment fusionnel », estime l'ancien ambassadeur André Parant.

## Au nom du père et du fils

Si le Gorgui avait de l'ambition pour deux, Viviane en avait pour trois. « Le pivot du clan familial, c'est elle », tranche un ex-Africain de l'Elysée. Son activisme obstiné quant à la carrière de Karim atteste à merveille combien l'amour, fût-il maternel, peut être aveugle. La Première Dame a-t-elle incité son époux à briguer en 2012 un troisième mandat ? Lui aurait-elle vanté les mérites de l'instauration d'une vice-présidence à l'américaine, montage cousu de fil blanc abandonné en juin 2011 sous l'effet d'une rébellion civique ? Deux écoles s'affrontent à ce sujet parmi les experts en « dakarologie ». Pour les uns, Abdoulaye n'avait nul besoin de ce *lobbying* intime pour hisser vers les sommets son prometteur rejeton.

Pour d'autres, celui-ci doit avant tout son ascension météorique, quoique résistible, au *forcing* de Maman, tenace agent d'influence.

« A l'entendre, avance Rufin, leur aîné était le seul capable de poursuivre l'œuvre paternelle. Plus karimiste que lui, elle a plaidé sans relâche en faveur de la succession dynastique, tout en laissant à son mari le soin d'en imaginer les modalités constitutionnelles. » Quoi qu'il en soit, l'héritier ne cessera au fil des ans d'enrichir sa panoplie du parfait petit dauphin. En 2000, alors banquier d'affaires à Londres, il s'active dans les coulisses de la campagne victorieuse de son géniteur, tout en jurant à qui veut l'entendre ne nourrir aucune ambition successorale. Plus d'un journaliste français eut droit, à la faveur d'un déjeuner en tête à tête dans un restaurant libanais voisin du pont de l'Alma, à de très urbaines dénégations. Urbaines, mais peu convaincantes. A la tête de l'Agence nationale pour l'Organisation de la conférence islamique (Anoci), dont Dakar accueille en 2008 le XIe sommet, l'aîné jongle avec un budget colossal. Sa gourmandise au banquet des marchés publics, propices au versement de commissions et autres dessous-de-table, lui vaut chez les investisseurs étrangers et jusque dans les télégrammes de l'ambassade des Etats-Unis le sobriquet peu flatteur de « Monsieur 15 % ». Son impopularité croît-elle au prorata de son pouvoir ? Les faveurs consenties à ce métis au wolof rudimentaire suscitent-elles chez les barons du PDS une fronde de moins en moins muette ? Qu'à cela ne tienne : le Gorgui, réélu en 2007, semble s'ingénier à alimenter le soupçon de dérive monarchique. Quand, deux ans plus tard, le fiston essuie à Dakar un cinglant camouflet lors des municipales, Abdoulaye I$^{er}$ le gratifie d'un porte-feuille à soufflets : au sein du gouvernement, le voici en charge de la Coopération internationale, des Infrastructures, de l'Aménagement du territoire, du Transport aérien, et bientôt de l'Energie. « Ministre du Ciel et de la Terre », ironise-t-on de Saint-Louis à Ziguinchor, capitale de la Casamance.

### Le martyre de Saint-Sébastien

Fils unique à plus d'un titre, Karim tient à son statut. Malheur, sur le front de l'exclusivité filiale, au rival réel ou fantasmé. Tout porte ainsi à croire que le Français Sébastien Couasnet, coupable de voir en Viviane Wade sa « deuxième maman », lui doit sa brutale disgrâce. La Première Dame s'était enti-chée de cet ingénieur agronome inventif et bosseur, au point de lui confier, avec le titre d'administrateur général, les commandes de sa fondation Agir pour l'éducation et la santé (AES). Choix judicieux. Sous l'impulsion de l'expatrié, des unités de production de pesticides biologiques, de biofertilisants et de spiru-line – une microalgue vert foncé connue pour ses vertus nutritives et médicinales – sortent de terre. Mieux, le recrutement de paysans locaux arrache à la misère des centaines, sinon des milliers de familles. Las ! en octobre 2010, la *success story* vire brusque-ment à l'aigre. Voici soudain l'homme providentiel relégué au rang de « mauvais gestionnaire », bientôt flanqué d'une sentinelle, épouse à la ville d'un fidèle de Karim, avant de se voir congédié en février 2011.

« Mes amitiés à votre mère », lui lance Viviane, après lui avoir fait la bise. Sa mère ? C'est sous ses yeux que, quelques heures plus tard, les agents de la Direction des investigations criminelles viennent arrêter Sébastien, aussitôt incarcéré. Accusé, sans l'ombre d'une preuve, d'avoir détourné 500 000 euros, le proscrit passera une quinzaine de semaines derrière les barreaux. Et, face à l'apathie de l'ambassadeur de France Nicolas Normand, trop attaché aux liens privilégiés qu'il cultive avec le clan Wade, seuls les efforts conjugués d'une poignée d'acteurs, diplomates, hommes d'affaires et salariés, abrégeront son cauchemar. « Une affaire de cornegidouille, soupire un ex-conseiller élyséen. Il ne fait aucun doute que Karim, qui exigera d'ailleurs vainement des aveux écrits, a orchestré la cabale. Mais là, on entre dans le domaine de la psychanalyse. Sans doute l'héritier a-t-il pris ombrage de la place occupée par Couasnet auprès de Viviane, quitte à manipuler celle-ci. » « On me disait de faire attention à elle, mais j'étais naïf[12] », confiera en juillet 2012 le réprouvé. Affective et professionnelle, la blessure reste à vif. Un an plus tard, il déclinera en ces termes notre demande d'entretien : « Je ne me sens pas prêt. Mme Wade m'a fait beaucoup de mal, à moi et surtout au formidable projet que je pilotais. J'ai eu énormément de peine à me reconstruire[13]. »

Sur le terrain de l'humanitaire, Tata Vivi n'a pas attendu de coiffer le diadème de la Première Dame pour s'engager. Même si, à l'en croire, ses débuts

12. Mediapart, 30 juillet 2012.
13. Echange de courriels avec l'auteur, juillet 2013.

furent entravés par des autorités suspicieuses. Ainsi, c'est en vain qu'elle tente dès 1977, sous Senghor, de lancer une campagne de vaccination à Pikine, banlieue déshéritée de Dakar. *Idem* lorsque la Dame Blanche de l'impétueux M$^e$ Wade entreprend de désensabler l'accès au marché de Thiaroye ou d'installer des latrines sur une plage[14]. Parvenue au palais, elle défendra avec fougue ses fleurons. A commencer par l'hôpital de Ninéfécha, à une heure de tape-cul de Kédougou, la ville phare du sud-est sénégalais. Là, au cœur d'un vaste désert médical frontalier du Mali et de la Guinée-Conakry, surgit en novembre 2002 un établissement à la modernité insolite, doté d'une maternité, d'un bloc opératoire, d'un service de radiologie et d'un cabinet dentaire, que viendra inaugurer en personne un certain Charles Pasqua, alors caïd des Hauts-de-Seine. Et pour cause : la société d'économie mixte Coopération 92, vitrine internationale du département le plus riche de France, a financé pour l'essentiel, à hauteur de 1 million d'euros, cet établissement pilote. Il faut dire qu'une vieille complicité unit « Charly » au couple Wade, hébergé un temps dans une propriété du Conseil général à l'époque des vaches maigres. Le Corse à la truculence trompeuse pratique d'ailleurs une générosité aussi sélective qu'avisée. Au Gabon, n'a-t-il pas choyé la province du Haut-Ogooué, fief de son ami Omar Bongo ? L'année précédente, les Haras de Jardy, joyau du patrimoine du « 92 », avaient accueilli un mémorable gala caritatif au profit des œuvres de Viviane. Au programme, défilé de mode, dîner fin et ballets

14. *VSD*, 30 mars 2000.

équestres. Quoi de plus logique au fond que de miser sur Sa Majesté Cheval pour promouvoir de si nobles dadas ? La mondanité altruiste est alors dans l'air du temps. Aux Galeries Lafayette, le temps d'une vente aux enchères haute couture au profit de l'association Solidarité Sida Afrique. Ou au pays, pour une soirée en présence du cinéaste Claude Lelouch et de l'acteur Richard Bohringer. C'est beau, Dakar, la nuit. Plus tard, Viviane invitera par lettre Carla Bruni-Sarkozy à se joindre à une table ronde des Premières Dames contre le VIH, mais en vain. « Elle m'a demandé d'appuyer sa requête, se souvient Rufin. Ce que j'ai fait, sans obtenir de réponse. »

## La tuile et les ardoises

Pas question pour un ambassadeur de France d'échapper à la visite guidée à Ninéfécha. Expérience inoubliable pour André Parant, en poste à Dakar de 2005 à 2007. Au retour de Kédougou, faute de parvenir à sortir le train d'atterrissage du vieux Fokker à hélices de l'armée de l'air sénégalaise, le pilote dut vider ses réservoirs et poser sur le ventre le coucou kaki, dont un des moteurs crachera flammes et fumée en bout de piste. « Nous avons tous été méchamment secoués, se souvient Parant. Si elle sut rester digne dans l'épreuve, la Première Dame n'en était pas moins furieuse de la vétusté d'un appareil appelé à convoyer l'élu du peuple et son épouse. » Neuropsychiatre de formation, son successeur Jean-Christophe Rufin eut droit au même rite initiatique, avec discours, spectacle et griots louangeurs. « Voyez comme c'est propre ! me répétait Viviane. A l'évidence, le critère majeur à ses yeux. Et de fait, les locaux étaient d'autant plus *clean* que, faute d'accessibilité, il n'y avait pas un chat. » Marotte numéro 1 de Viviane, le programme spiru- line n'a pas davantage fasciné l'ancien *French Doc- tor*, passé notamment par Médecins sans frontières et Action contre la faim. L'atelier de fabrication de la banlieue dakaroise ? « L'usine des Schtroumpfs ou peu s'en faut, ironise l'essayiste et romancier. J'ai bien tenté de la convaincre que son algue favorite n'avait rien de la panacée. Mais en pure perte. »

Si railleur soit-il, Rufin l'Académicien reconnaît volontiers « l'influence bénéfique » qu'eut Viviane sur son mari, qu'il s'agisse de promotion de la femme, de scolarisation des filles ou de prévention des gros- sesses précoces. Le dermatologue Gilles Degois, lui, se souvient encore de la visite de Viviane en son cabi- net parisien de la rue de Villersexel, trois semaines après l'élection d'« Ablaye ». « Une femme sincère, touchante, animée par une authentique envie d'agir, raconte-t-il. Elle épaulait alors le père Xavier Gobaille, un missionnaire spiritain engagé auprès d'une petite peuplade réfractaire à l'islamisation, et avait eu vent du boulot accompli par mon ONG Kinkeliba dans la région de Tambacounda [est], où la mortalité mater- nelle atteignait des taux effarants. Nous avions par exemple installé le premier généraliste africain de brousse au Sénégal et bâti une maison médicale[15]. » C'est après, avec l'irruption des princes du « 92 » à Ninéfécha, que l'affaire se corse. « Dès l'inaugura- tion, soupire le pionnier, tout m'a échappé. J'imagi-

15. Entretien avec l'auteur, 20 juillet 2013.

nais quelque chose de plus simple. Mais telle est la loi du genre : dès qu'une Première Dame débarque, l'argent afflue et les experts désireux de complaire au mari se bousculent. » A l'inverse, les expériences de télémédecine, autre passion de Viviane, inspirent au Dr Degois un diagnostic implacable. « N'importe quoi ! assène-t-il. Faute de personnel formé au recueil de données, transmettre des échographies *via* un véhicule tout-terrain équipé d'une station satellitaire ne rime à rien. »

Qui l'eût cru ? Sénégalais ou étrangers, maints donateurs prodigues se penchèrent sur le berceau et sur les caisses d'Agir pour l'éducation et la santé. Parmi eux, le groupe français de BTP Eiffage et quelques ténors du *business* local, tels Jean-Claude Mimran ou Abbas Jaber. De même, diverses sociétés d'Etat furent fermement invitées à verser leur écot, tout comme l'Asecna (agence panafricaine de sécurité aérienne), dont le siège se trouve à Dakar. « L'ennui, note un diplomate rompu à l'art de l'*understatement*, c'est que la gestion de l'association de Madame n'a jamais été d'une transparence exemplaire. » Citons, à titre d'exemple, les coquettes subventions publiques attribuées à des projets avortés d'agriculture biologique. Ou le litige avec le partenaire suisse Antenna Technologies, fondation vouée à l'éradication de la pauvreté, qui réclama une année durant le remboursement de 1,5 million d'euros, somme allouée à une entreprise de biofertilisants demeurée virtuelle. Soucieux de solder un contentieux gênant, Abdoulaye Wade lui-même finira par s'engager à effacer la quasi-totalité de l'ardoise. De même, il réglera sur ses deniers les indemnités de licenciement des salariés d'AES réunis en un collectif de défense. C'est que, rancunière, Viviane a décrété au lendemain de la défaite de son mari la dissolution de sa fondation ainsi que la fermeture de Ninéfécha. Représailles fatales : placé un temps sous la tutelle du ministère des Forces armées, le complexe hospitalier a tourné au ralenti avant de sombrer, à l'automne 2013, dans un état de mort clinique[16].

## Le canasson de Kadhafi

Vis-à-vis de ses protégés, « Vivi » ne s'est jamais départie de son « maternalisme » d'institutrice revêche. En décembre 2011, quand, vêtue d'un boubou brodé, elle enjoint d'une voix aigrelette à une assemblée de femmes d'enrayer l'essor du sida, c'est à l'impératif. Ses colères l'attestent et tous ceux qui l'ont côtoyée le confirment : Viviane Wade-Vert est une femme de – mauvais – caractère. « Jusqu'à la méchanceté, soupire un diplomate. Charmante et enjôleuse au besoin. Hautaine et cassante dans l'adversité. Bref, moitié Tatie, moitié flingueuse. » « Ni un Machiavel en jupons ni une *fashion victim* couverte de bijoux, avance en écho Jean-Christophe Rufin. Mais une tigresse envers quiconque osait défier Ablaye ou Karim. Je crois qu'elle m'aimait bien. Mais quand elle a compris mon hostilité au scénario de la succession père-fils, tout a changé. » Au point que les Wade exigeront – et obtiendront – de Nicolas Sarkozy le rappel à Paris de l'auteur de *L'Abyssin* et de *Rouge Brésil*,

---

16. *La Lettre du Continent*, 16 octobre 2013.

évincé au profit du très déférent Nicolas Normand.
Avant sa disgrâce, le diplomate globe-trotter put goûter au sens du sarcasme de Madame. Notamment ce
jour où, l'ayant croisé dans le hall du palais, la reine
de céans l'entraîne derrière un pilier pour lui montrer un destrier cabré en plastique moulé, lesté d'un
harnachement berbère. « Voilà tout ce que nous offre
Kadhafi : des tas de promesses et ce cheval en toc… »

Il y a du Bernadette Chirac chez Viviane. Même
morphologie, même blondeur, même vigueur, même
sécheresse. Et cette raideur commune à celles ayant
servi le dessein jupitérien d'un animal politique qui
jamais ne les ménagea. Un reporter de Radio France
internationale se souvient l'avoir entendue en 1993,
sur fond de fièvre électorale, sermonner en ces
termes un militant tout juste débarqué dans la résidence dakaroise du couple : « Mais que faites-vous
donc ici? C'est dans la rue que vous devriez être ! »
« Il y a chez elle quelque chose d'inquiétant, soutient
en écho un ancien conseiller élyséen. Son influence,
réelle, s'exerçait dans la coulisse. Influence ambiguë au demeurant. Il arrivait que Viviane recadre
Abdoulaye quand celui-ci déconnait politiquement.
Pour autant, sensible elle-même aux honneurs que
lui valait son rang, elle flattait aussi sa mégalomanie.
Bien sûr, la Première Dame ne faisait pas la pluie et
le beau temps au palais. Mais elle avait le pouvoir de
hâter la carrière d'un protégé ou de ruiner celle d'un
ministre qui n'avait pas l'heur de lui plaire. »

La « Sénégalaise d'ethnie toubab » peut bien offrir
ses poignets à un flic interloqué. Elle sait bien que ni
elle ni son époux ne finiront leurs jours à Rebeuss.
Mais elle sait aussi qu'il lui faut purger une peine

à perpétuité dans cette autre prison sans barreaux qu'est la villa de pierre meulière avec jardin à Versailles, cité royale. Exil morose, qu'égaient à peine les trop rares visites de Sindiély, la fille cadette fondue de rallye automobile et de sports extrêmes que Viviane se reproche d'avoir longtemps délaissée, et le sourire des trois gamines de Karim, orphelines de mère élevées en France, si loin de papa. L'art d'être grand-mère, soit. Mais pas là, et pas comme ça.

Marième Sall

## La Mackysarde de Dakar

Tâchons d'imaginer ce singulier tête-à-tête politico-matrimonial. Il date de novembre 2008. Face à face, Macky Sall, alors président en sursis de l'Assemblée nationale sénégalaise, et son épouse Marième. Le premier tient à préparer au mieux l'épineux entretien qui, le lendemain, le mettra aux prises avec le chef de l'Etat au crâne poli Abdoulaye Wade, résolu à le déchoir de son perchoir. La seconde lui donne la réplique, endossant le rôle du Gorgui – « le Vieux » en wolof, la langue du cru la plus répandue – au point d'imiter sa rhétorique d'ancien avocat tantôt patelin, tantôt impérieux. « Macky est très sentimental, confie-t-elle cinq années plus tard. Et il était clair que Wade tenterait de faire vibrer cette corde-là, sur le thème "Je suis ton père" ou "Tu sais combien j'ai besoin de toi". Nous avons donc essayé ensemble d'éventer le piège[1]. » En clair, la future Première Dame joue la mouche du coach... A cet instant, les époux savent bien que la cause est entendue : sous la houlette de leur *primus inter pares*, les députés ont – crime de lèse-clan – sommé le fils du chef, Karim, de venir s'expliquer à la tribune de l'hémicycle sur les comptes, pour le moins ténébreux, de l'Anoci, cette Agence nationale pour l'Organisation de la conférence islamique dont il tient les rênes. Mais au moins le proscrit tombera-t-il avec les honneurs. En attendant l'heure de la revanche. Retentissante, celle-ci survient en mars 2012, lorsque Macky Sall terrasse son ancien mentor à la faveur du deuxième tour de la présidentielle. Jadis tête de pont de l'Afrique occidentale française (AOF), le Sénégal enrichit à cette occasion son palmarès de pionnier, au sein de l'ex-« pré carré » colonial, du pluralisme et de l'alternance. Comment oublier que dès 1980, et au prix d'une figure de style alors inédite, le légendaire président poète Léopold Sédar Senghor s'effaça de son plein gré, cédant les commandes à son disciple socialisant Abdou Diouf ? Et que celui-ci, vaincu vingt ans plus tard au fond des urnes par le libéral Abdoulaye Wade, reconnut sans barguigner sa défaite ? Fût-ce la mort dans l'âme, le même Wade, dont on pouvait craindre qu'il tentât de s'accrocher à son fauteuil, se pliera lui aussi à la loi des isoloirs.

N'en déplaise aux féministes et aux suffragettes, la très personnelle répétitrice de l'élu revendique son

---

1. Entretien avec l'auteur, 16 mai 2013. Sauf mention contraire, toutes les citations de ce chapitre en sont issues.

statut de « femme au foyer » et affiche envers son conjoint, ce « très grand Monsieur », une dévotion totale et tranquille. « Il n'y a que mon mari, insiste-t-elle. Ce qui m'intéresse, c'est sa réussite. Tout ce qui peut l'aider, je le ferai. » La loi de mai 2010 instaurant la « parité absolue hommes-femmes dans toutes les institutions électives » ? « Une lubie de Wade, en déphasage avec la société sénégalaise. » Cet effacement revendiqué n'épargne pas même l'état civil. Le 1er mai 2013, quand la « griotte » – le féminin de griot et non la variété de cerise – Fatou Guewel Diouf chante au détour d'une cérémonie les louanges de Marième Faye, nom de jeune fille de l'intéressée, cette dernière l'interrompt : « Dis plutôt Marième Sall. » Et si la conteuse n'obtempère qu'à moitié à l'instruction de « Marième Faye Sall », c'est au risque d'un nouveau rappel à l'ordre : « Non. Je préfère Marième Sall tout court. » Deux semaines plus tard, lorsqu'au terme de notre entretien la Première Dame apprend par téléphone le retour au palais imminent du président, elle se hâte vers le perron inondé de soleil pour l'accueillir. Telle la madone du logis en faction sur le seuil du pavillon familial, impatiente de venir au-devant du compagnon qui rentre du boulot. « Il arrive ! » glisse-t-elle avec un enjouement désarmant.

## Une pionnière au palais

Privilège des néophytes ? En ce lieu si solennel – un immense hall dallé de marbre, orné de tableaux, de tapisseries et de lustres imposants –, sa fraîcheur et sa franchise détonnent. Avant même que l'interview

commence, Marième avoue tout de go à quel point
la prise de parole en public – l'un des devoirs de sa
charge toute neuve – la tétanise. Son visiteur aurait-
il un ou deux « trucs » à lui suggérer pour vaincre
cette hantise ? Celui-ci peut-être : s'exprimer devant
la foule avec le naturel, la spontanéité et la gaieté,
parfois teintée d'ironie, qu'elle manifeste en petit
comité.

C'est un peu la loi du genre : le protocole amuse
ou intrigue avant de peser, d'éteindre les rires, de
corseter la parole ; et l'on se jure de résister à l'ivresse
du pouvoir et de ses rites. « J'ai souvent envie de
me retrouver seule, confessait-elle déjà en décembre
2012 devant les caméras de CNN, de fausser compagnie à mes agents de sécurité. Je trouve ça excitant. »
Ce qui l'est moins, c'est de se savoir en permanence
épiée, scrutée, jugée. « Je sens les yeux braqués sur
moi. Il me faut donc être exemplaire. » La fuite des
siècles ne fait rien à l'affaire : à l'image de la femme
de César, l'épouse du chef, version troisième millénaire, se doit d'être insoupçonnable. « Certains me
reprochent ma simplicité, admet Mme Sall. On me dit
que je suis folle, qu'une Première Dame a le devoir de
faire preuve de retenue. Peu importe : je dois rester
moi-même. Il ne s'agit après tout que d'une étape de
ma vie, que je tiens à vivre avec humilité et sérénité.
Et dont je sais bien qu'elle ne durera pas éternelle-
ment. A moi de suivre mon petit bonhomme de chemin. » Donc mon grand bonhomme de mari.

Première Dame, Marième l'est plutôt deux fois
qu'une. Jamais jusqu'alors une « autochtone » musulmane n'avait accédé à ce statut au Sénégal. Epouse
du chantre de la négritude, Colette Senghor était

blanche et française de souche. Tout comme Viviane Wade. Elisabeth Diouf, dont le compagnon Abdou – qui aura accompli depuis lors trois mandats aux commandes de l'Organisation internationale de la francophonie – régna de 1981 à 2000? Une métisse libano-sénégalaise de confession catholique… Ce profil inédit, la quadra native de Saint-Louis ne risque pas de le perdre de vue. « Tout le monde m'en parle, souligne-t-elle. Quand on me sollicite, c'est à la fille, à la sœur, à la marraine ou à la confidente que l'on s'adresse. Des femmes copient mon look, qu'il s'agisse de mes boubous ou des motifs dessinés au henné sur mes mains. » « Pour une Sénégalaise, constate en écho un diplomate, il est plus facile de s'identifier à cette Première Dame-là qu'à celles qui l'ont précédée. Sans nul doute un atout. Même si son profil – peu d'études, pas de lauriers universitaires – peut susciter des réticences au sein de l'intelligentsia. Aux yeux d'une frange de l'élite urbaine, elle apparaît avant tout comme une "femme de…" Il n'empêche : pour l'heure, cette posture traditionnelle et sa relative discrétion servent son image. » Quitte à susciter un écho ambigu. Bien sûr, on n'est pas peu fier de l'irruption sur l'avant-scène d'une authentique *drianké* du pays de la Teranga – l'hospitalité en wolof –, femme mûre, coquette, apprêtée, maîtresse jusque dans sa démarche chaloupée des « trucs et astuces » de la séduction. Mais Marième ne risque-t-elle pas, avancent certains, de ternir l'aura de la fonction ? « Dans leur inconscient, regrette l'historienne et médiéviste Penda Mbow, qui fut un temps ministre de la Culture sous Wade, les Sénégalais restent habitués à avoir comme Première Dame une Blanche un peu distante[2]. »

## L'or noir de Macky

Le métissage, Marième Sall-Faye connaît, fût-ce à l'échelon local. Quatrième d'une fratrie élargie de huit, elle vit le jour en 1969 au foyer d'un chef comptable d'ethnie sérère, El Hadj Ass Faye, et d'une infirmière peule, Oumou Diallo[3]. Laquelle épousera en secondes noces, après le divorce du couple, prononcé en 1975, un directeur régional de l'urbanisme. C'est à Diourbel, où la famille s'installe, que Marième coule à l'en croire une enfance tranquille, entre les bancs de l'école, ceux de la *daara* – institut coranique – et, aux dires d'une tante, les bluettes de la collection Harlequin. Selon les témoins cités au fil d'une enquête du quotidien *L'Observateur*, parue peu après le triomphe électoral de son mari, elle passe alors pour une élève studieuse, droite et pieuse, dont l'espièglerie pimente parfois l'apparente timidité. « J'étais un peu chahu-

---

2. *Seneplus*, 19 septembre 2013.

3. Pour l'anecdote, l'intéressée rechigne à livrer sa date de naissance précise. Les Peuls, deuxième ethnie du Sénégal après les Wolofs, sont présents dans une quinzaine de pays d'Afrique de l'Ouest, mais aussi au Tchad, en République centrafricaine et au Soudan. Pasteurs nomades par tradition, souvent sédentarisés aujourd'hui, ils sont connus pour leur ouverture aux échanges et aux métissages. Implantés essentiellement dans le centre-ouest du pays, entre la région dakaroise et la frontière gambienne, les Sérères forment quant à eux la troisième communauté nationale.

teuse, confirme-t-elle. D'ailleurs, je le suis restée. »
Détail cocasse : voilà peu, une « Amicale des amis de
Marième Faye-Sall », présidée par un « camarade de
classe » dont elle n'a gardé aucun souvenir, a surgi
sur le théâtre de ses exploits de jeunesse…

La fille de Maman Diallo fréquente encore le lycée
Cheikh-Ahmadou-Bamba lorsqu'elle rencontre un fringant étudiant en sciences de la Terre, venu accomplir
un stage de géologie à Diourbel ; et ce par l'entremise
de l'un de ses profs, nommé Mamadou Tall, futur
délégué en France de l'Alliance pour la République
(APR), la mouvance politique du tombeur du Gorgui, fondée en 2008. Quoique précédé d'une flatteuse
réputation de *kor diek ji* – le chéri de ces dames –,
Macky tombe sous le charme de cette grande fille
instruite, croyante et sportive, handballeuse accomplie. « Il n'a pas trouvé de pétrole, s'amuse un ami
du couple, mais a déniché Marième. » Et ne la lâche
plus : la promise vient tout juste de décrocher son
bac F2 – option électronique – quand le soupirant,
alors étudiant à l'Institut français du pétrole, formule sa demande en mariage. Union célébrée deux
ans plus tard, en 1992, tandis que Marième explore
les arcanes du génie électrique au sein de l'Ensut,
l'Ecole nationale universitaire de technologie de la
fameuse université Cheik-Anta-Diop de Dakar. Si,
dans un pays anémié par les délestages et les défail-
lances d'un réseau à bout de souffle, la discipline n'a
rien d'exotique, Marième renonce néanmoins bientôt
à son cursus. « A la naissance de notre premier fils,
convient-elle, tout cela est devenu un peu acrobatique. Mon époux amenait le bébé à l'heure de l'inter-
cours pour que je l'allaite. Vous imaginez… » Depuis

lors, deux autres enfants – une fille puis un garçon –
ont élargi le cercle de la famille.

A l'entendre, jamais l'ex-demoiselle Faye n'a regretté
un « sacrifice » qu'elle ne vit pas comme tel. Veiller
sur les gamins, préparer de plantureux repas, aména-
ger au mieux la villa du quartier semi-résidentiel de
Mermoz, où flotte le parfum du thiouraye, cet encens
aux effluves envoûtants : autant de nobles tâches
dont il convient de s'acquitter avec grâce et entrain…
D'autant que, déjà, la robuste saint-louisienne s'évertue à servir les ambitions du « Grand Monsieur », très
vite happé par le carrousel infernal de la politique,
tour à tour jeune loup du wadisme, ministre, chef
du gouvernement, patron de l'Assemblée nationale,
dissident, puis candidat à la magistrature suprême…
Même si l'initiation fut rude. « Au début, concédera
Marième sur CNN, je n'aimais pas. Je restais à la maison avec le petit et lui sortait le soir pour ses réunions
politiques. Ce n'était pas confortable. »

## Bijoux de famille

Après la mère au foyer, la maman au palais. Très
famille, Marième veut croire que l'on peut « éduquer
normalement » les rejetons d'un président. « Je leur
ai dit ceci : Votre père a un mandat, pas vous. Il a
peiné pour en arriver là. Ne jouez pas les "fils de".
Je suis d'ailleurs allée voir le directeur de l'école de
notre aîné pour l'inviter à ne lui réserver aucun traitement de faveur. Respect, politesse et travail. » Pas si
simple : la presse dakaroise se délecte volontiers des
frasques dudit aîné, prénommé Amadou, dépeint sous

les traits du jet-setteur débutant… Il n'empêche : la consigne vaut pour la cohorte des conseillers et collaborateurs. « La Première Dame, raconte l'un d'eux, nous a enjoint de proscrire toute arrogance. Logique : la morgue de l'ancien régime a traumatisé les Sénégalais. » Reste à savoir si la louable injonction survivra durablement aux poisons du palais et à ses vanités… En guise d'antidote, Marième Sall invoque cette évidence : « Notre séjour ici aura une fin. D'ailleurs, nous avons déjà tout planifié avec les enfants pour le jour d'après. Car je garde à l'esprit qu'il y aura bien demain un après-pouvoir. » Demain ou le jour suivant : pourvu que Dieu lui prête vie, prédit la complice de l'élu, « Macky Sall fera deux mandats ».

Au-delà de cette prophétie, pas question de revendiquer la moindre influence politique. « Mon mari ne me consulte jamais, soutient-elle sans une once d'amertume. Il ne vient vers moi qu'en cas de problème. Pour ma part, je me fie à mon intuition féminine et le mets en garde contre tel ou tel écueil. Lui ne m'écoute pas, agit à sa guise, puis finit par convenir que j'avais raison. » Déjà, durant la campagne électorale, Marième jouait les paratonnerres, sommant l'équipe du prétendant de l'APR de s'en tenir à ce *modus operandi* : les mauvaises nouvelles pour moi, les bonnes pour mon époux. « C'est toujours vrai, confirme-t-elle quinze mois plus tard. Moi, je gère. Lui, il est tellement stressé… » L'engagement de celle qui juge « plus efficace » d'œuvrer en coulisse que sur l'avant-scène fut alors total. On l'a vue à l'époque, vêtue du T-shirt du militant de base, distribuer eau et vivres aux partisans de l'ex-Premier ministre. Ou vendre une partie de ses bijoux pour renflouer les caisses de son champion, alors à court de fonds. Abnégation assortie d'une forme d'intransigeance. Quand, lassée des tracasseries et des vexations dont son mari est devenu la cible, sa compagne écrit à Abdoulaye Wade, celui-ci lui dépêche en réponse un émissaire. Aussitôt éconduit : « Pour moi, tranche-t-elle, c'était Wade ou personne. Question de dignité. Même topo quand on a privé Macky de son passeport diplomatique. Le ministère des Affaires étrangères nous avait alors suggéré de solliciter l'intervention du chef de l'Etat. Hors de question. »

## Au feu des affaires

Au printemps 2013, les médias sénégalais dissertèrent à l'envi sur le plaidoyer *pro domo* apparu sur le compte Facebook de la Première Dame. « Donnez le temps pour l'atteinte des objectifs du programme de M. le président Macky Sall, mon cher époux, y lisait-on. Les réformes sont en cours. Un mieux-être pour tous est possible. » Eloge de la patience, assorti d'une invitation à « ne pas écouter les mauvaises langues ». « Tout ça, je l'ai dit en privé, nuance Madame. Et je le pense. Mais je n'ai jamais rien posté de tel. »

Mieux vaut, au royaume des entourages, traiter avec une égale méfiance ceux qui s'attribuent un ascendant considérable et ceux qui prétendent n'en exercer aucun. Marième aurait-elle aussi peu de poids qu'elle le dit ? Pas sûr. Au temps où son conjoint régnait sur la primature, plus d'un expert en intrigues dakaroises prêtait à Miss Paratonnerre la faculté de faire ou de défaire les carrières. De là à voir en elle un clone sénégalais de la furie ivoirienne Simone Gbagbo, au prétexte que les deux femmes ont en commun la carrure et la piété... L'interroge-t-on sur ce que lui inspire la trajectoire de la recluse d'Odienné? Marième esquive : « Je ne veux pas la juger », objecte-t-elle laconiquement.

« En élisant Macky Sall, écrivit à l'époque Souleymane Jules Diop, éditorialiste et blogger devenu entre-temps conseiller en communication à la présidence, les Sénégalais élisent aussi son épouse, qui a autant contribué que lui à son parcours politique. » Sans pour autant que celle-ci bâtisse ostensiblement une coterie à sa gloire. « Elle se tient à l'écart de l'appareil de l'APR et ses réseaux sont ceux de son mari », avance un diplomate en poste à Dakar. Pas faux. Dans son orbite gravitent ainsi Diène Farba Sarr, directeur général de l'Apix, agence de promotion des investissements et des grands travaux, l'ancien ministre de l'Intérieur Mbaye Ndiaye, le dernier chef de gouvernement de Wade Souleymane Ndéné Ndiaye ou l'ancien basketteur Ndongo Ndiaye, conseiller aux sports de Monsieur[4]. Marième cultive aussi depuis peu une relation privilégiée avec Penda Mbow, directrice de l'Agence nationale de la francophonie et conseillère en la matière de Macky Sall. Affinité fondée, selon l'universitaire déjà citée, sur un mysticisme partagé.

Cela posé, la Première Dame a des amitiés plus prosaïques ; notamment celle qui la lie à l'épouse de Mohamed Farès, puissant *businessman* d'origine libanaise, dont le royaume s'étend de l'eau minérale au BTP. Il y a plus sulfureux : les dakarologues les mieux

---

4. *La Lettre du Continent*, 19 juin 2013.

avertis lui prêtent en effet des accointances avec le très controversé Abdoulaye Sylla, bizarrement propulsé par la Cour de répression de l'enrichissement illicite (Crei) dans le fauteuil d'administrateur provisoire d'Aviation Handling Service, une entreprise de manutention aéroportuaire. Que lui vaut cette faveur ? Mystère. Connu pour ses démêlés avec une horde de créanciers, Sylla a certes fondé en novembre 2012 une entreprise de transport et logistique. L'ennui, c'est que Add-Value – tel est son nom –, serait la filiale d'une société établie dans les îles Vierges britanniques, paradis fiscal notoire. Une certitude : plusieurs conseillers de Macky Sall ont jugé utile d'attirer son attention, par oral ou par écrit, sur la nocivité potentielle d'une telle proximité. La *drianké* de Saint-Louis, l'épouse et mère altruiste, cacherait-elle son jeu ? « Elle aura du mal à résister à la tentation affairiste », parie un diplomate rompu aux us et coutumes de l'ex-capitale de l'Afrique occidentale française.

En terme de magistère de l'ombre, la Première Dame n'a pas tardé à se voir suspectée de pousser un peu loin son sens aigu de la parentèle. En clair, de favoriser l'ascension de ses familiers. L'un de ses frères, prénommé Daouda, orchestre la communication et les relations extérieures de sa fondation Servir le Sénégal. Un autre frangin, Mansour, a accédé aux galons de délégué général à la solidarité nationale et à la protection sociale, et orchestrera à ce titre la mise en œuvre de la couverture maladie universelle. « Soupçon injuste, riposte Marième. Si je n'étais pas sa sœur, il serait ministre. » De fait, il en a déjà le traitement : en juin 2013, un décret présidentiel a porté son salaire mensuel à 5 millions de francs CFA – soit plus de 7 600 euros –, quitte à attiser la polémique[5]. « Aucun des membres de la famille ne se vante d'être apparenté à moi, insiste Marième, affectée à l'évidence par ce procès en népotisme. En fait, je leur porte préjudice. » Pas à tous : son beau-père Abdourahmane Seck, dit Homer, préside le Conseil d'administration de la Petrosen, société nationale des hydrocarbures. « Simple réparation, nuance un éditorialiste dakarois. Nommé sous Abdoulaye Wade, il avait été l'une des victimes collatérales de la disgrâce de Macky. » Au risque de fantasme, les médias tendent à voir en tout homonyme un cousin ou une cousine choyé en vertu de la loi du sang. Or, à l'en croire, la Première Dame ne connaît ni Marie-Thérèse Faye, à la tête de l'ONG La Case des Tout-Petits, ni Tamsir Faye, promu récemment consul général du Sénégal à Marseille, ni Mahwa Faye, nommé membre du Conseil économique et social.

### Dieu et mon maître

Créée dès l'été 2012, la fondation Servir le Sénégal (SLS), installée à l'instar des œuvres de Viviane Wade ou d'Elisabeth Diouf hier dans une annexe de la présidence, demeure le vecteur d'influence le plus visible de la nouvelle maîtresse du palais. En guise de baptême du feu – ou plutôt de l'eau –, les inondations dévastatrices et meurtrières de l'hivernage qui suivit, en août et septembre de la même année. Dans

---

5. *Ibid.*

l'urgence, SLS hébergea alors plus de 1 300 familles de sinistrés en attente de relogement au Centre international du commerce extérieur de Dakar. « A l'heure du retour à la normale, précise Marième, ils ne voulaient plus rentrer chez eux. Il faut dire que nous avions organisé, au profit des rescapés, des circoncisions collectives pour les garçons et des soirées culturelles. » « Figuration politique ! », pesta un maire adjoint du quartier Médina resté fidèle au Gorgui vaincu Abdoulaye Wade. Mal lui en prit : en butte à l'hostilité de la rue, il fut contraint de s'effacer deux semaines après son estocade.

Pas le temps de théoriser : l'épouse du chef apprend son nouveau métier sur le tas ; et s'avoue submergée par l'afflux de suppliques de tous ordres. « Les citoyens dans la détresse ont tendance à zapper l'administration pour s'adresser directement à la fondation, constate-t-elle. Et même les gens du ministère de la Santé me courent après. Moi, j'essaie de leur expliquer que je ne veux pas interférer dans leur mission. Bref, on s'appelle, et on se coordonne. » Harmonisation indispensable si la Première Dame veut faire « bouger les lignes » sur les chantiers jugés prioritaires, tels l'accès à l'eau potable, la santé infantile, l'insuffisance rénale aiguë, le sort des gamins des rues ou la lutte contre la mendicité.

Servir le Sénégal ou Servir son président ? Marième n'en fait pas mystère : son œuvre caritative a pour vocation d'épauler le chef de l'Etat. La fondation a ainsi contribué au financement du chantier de l'hôtel Malango Beach de Fatick, la ville natale de ce dernier. Si elle a confié à son frère Daouda la communication et les relations extérieures de SLS, la Première Dame s'est assuré le concours d'une poignée de fidèles de son époux. L'administrateur général de la fondation n'est autre qu'Alioune Fall, intime de Macky Sall depuis les bancs du lycée Gaston-Berger de la cité portuaire de Kaolack. Quant à l'administrateur délégué Moustapha Diakhaté, il préside le groupe parlementaire majoritaire Benno Bokk Yakaar à l'Assemblée nationale. Ce cadre de l'APR a d'ailleurs souhaité, par souci d'éviter tout conflit d'intérêt, se voir déchargé de la gestion des comptes de Servir le Sénégal. Sage précaution. Interrogé en octobre 2014 par *Jeune Afrique* sur le « grand pouvoir » prêté à sa moitié, Macky livra alors cette laconique mise au point : « Elle est à mes côtés comme toutes les épouses du monde. Nous discutons. Elle travaille avec sa fondation qui cherche des investisseurs, notamment dans le domaine de l'éducation. Et alors ? » Sans doute faut-il imputer le léger agacement que trahit cette réponse à la gaffe commise trois mois auparavant par le dénommé Mbagnick Ndiaye, promu à la Culture à la faveur d'un remaniement. « Si nous sommes ministres, Matar Ba [son successeur aux Sports] et moi, nous le devons à Marième Faye », avait-il lâché. Autant dire que l'imprudent hommage enrichira l'argumentaire de ceux qui suspectent Madame de jouer les conseillères de l'ombre. « Ras-le-bol de la dynastie Faye Sall ! », assène alors l'un des rappeurs de Keur Gui, fer de lance du collectif citoyen Y'en a marre.

La *First Lady* de Dakar a donc deux passions, résumait en juin 2013 avec une touche d'ironie *La Lettre du Continent* : Macky Sall et la religion[6]. Il y a du vrai. Lorsque le premier fut inquiété pour avoir combattu un bricolage constitutionnel usiné sur mesure par Abdoulaye Wade, elle fit la tournée des mosquées pour solliciter des prières en sa faveur. « C'est ainsi, se plaît-elle à souligner : comme la plupart des Saint-Louisiennes, je suis profondément religieuse. Une musulmane dévote. Vous n'imaginez pas à quel point ma foi peut m'aider. » « Tu parles à qui ? » s'enquiert parfois Macky Sall lorsque, le soir venu, il voit sa compagne murmurer, recueillie et les yeux mi-clos. A qui ? A personne. Madame prie... Souvent, Marième ponctue son propos de « *Hamdulillah !* » (Grâce à Dieu !) et de « *Maashallah !* » (Dieu merci !). Matin et soir, elle pratique le *wird tidiane,* récitation rituelle de formules sacrées et de sourates du Coran propre à l'une des deux grandes confréries musulmanes du pays. Et le vendredi, jour de la grande prière hebdomadaire, la Première Dame se rend à pied à la mosquée. En général, celle de la rue Blanchot, dans le quartier du Plateau. Au printemps 2013, elle a tenu à accomplir le pèlerinage à La Mecque. « J'ai demandé à notre ambassadeur en Arabie saoudite le protocole minimal, insiste-t-elle. Pas d'accueil VIP et séjour à l'hôtel. »

## Dans la cour des grands

Une escapade plutôt rare. Car Marième, un rien casanière, accompagne rarement son époux en

_____

6. *Ibid.*

voyage officiel. « A vrai dire, avoue-t-elle, j'ai peur de
l'avion. En général, je préfère rester à la maison. » La
règle souffre bien sûr quelques exceptions. En mars
2013, la première Sénégalaise s'envola ainsi pour
Washington, où Macky Sall était l'hôte de la Maison
Blanche. Certes, elle avait déjà, dans une vie antérieure, franchi l'Atlantique : lauréate douze ans plus
tôt d'une loterie à la « carte verte », le fameux sésame
requis pour s'établir aux Etats-Unis, l'enfant de Diourbel y avait rejoint un temps sa mère. Trois mois après
cette virée sur les rives du Potomac, Marième Sall
retrouvera Barack et Michelle Obama, mais à domicile cette fois : c'est en effet à Dakar que se joua l'acte
initial de la tournée africaine de l'ancien sénateur de
l'Illinois. Quand sonna l'heure du dîner officiel, elle
prit place, vêtue d'une robe bleu électrique, à la droite
du premier Black de la White House. Crispée ? En
apparence oui. Il faudra attendre que le ministre du
Tourisme de l'époque, Youssou N'Dour, par ailleurs
roi du mbalax – cette musique au tempo ensorcelant
dont raffolent les Sénégalais –, s'empare du micro et
enjoigne aux convives de « plonger », pour dynami-
ter le protocole. On verra alors Marième et Michelle
quitter la table pour rallier la piste et ouvrir le bal.

Après le *dancefloor*, le défilé de mode : à l'occasion de la venue des Obama, un site web de Las
Vegas crut judicieux de comparer les tenues des
*First Ladies* et d'inviter la descendante d'esclaves
américaine, avec l'arrogance que seuls permettent
l'inculture et le crétinisme repu, à enseigner l'art de
l'élégance à son hôtesse. Autant dire que l'initiative
déclencha aussitôt dans la jungle des forums virtuels
une cascade de ripostes outragées. « Bravo Mme la

Présidente, réplique une internaute. N'écoute surtout pas ces mannequins toubabs – blancs – qui
n'ont jamais honte. » « J'ai toujours rêvé, renchérit
un provincial, de voir une Première Dame en grand
boubou comme ma mère. Surtout ne changez pour
rien au monde votre façon de vous habiller. » L'affront ainsi lavé, certains profiteront de l'occasion
pour glisser critiques et conseils. Marième devrait
se vêtir moins ample, suggère l'un. Elle gagnerait
à solliciter, tel styliste dakarois, avance un autre. Il
faut renoncer aux mèches, aux ongles peints et au
rouge à lèvres, artifices « non musulmans », tranche
un troisième. Au passage, quelques adeptes de la
palabre électronique la pressent de prendre soin
de... la ligne de son époux, enclin à l'embonpoint.
Qu'ils se rassurent : l'ex-étudiante en électronique
surveille jalousement son homme, et pas seulement
pour ses écarts de régime. « C'est ainsi, soupire un
de ses amis : Macky reste un coureur. Le moindre
décolleté qui passe le met en transe. Pour lui comme
pour tant de ses pairs africains, on peut y voir un
facteur de fragilité. » Fait plutôt rare : ce tropisme
figure dans une note que la Direction générale de la
sécurité extérieure, la fameuse DGSE, a consacrée
au personnage.

*Viviane, si tu m'entends...*

A l'échelle continentale, l'apprentissage du métier
passa aussi, pour Marième Sall, par Libreville
(Gabon), où, trois mois à peine après l'élection de
son mari, elle participa à la première édition du New

York Forum for Africa (Nyfa), ce Davos subsaharien mis en scène par Richard Attias et son épouse
Cécilia, elle-même si peu à l'aise, naguère, dans ses
atours de *First Lady*. Un rite initiatique qui permit à
la néophyte de côtoyer quelques-unes de ses homologues. Marième Sall doit d'ailleurs à l'une d'entre
elles, l'Ivoirienne Dominique Ouattara, une amicale
leçon de maintien. « D'emblée adorable avec moi,
elle m'a donné d'utiles conseils pratiques, précise-
t-elle. Comment s'asseoir et se tenir. Quel type de
sac à main adopter. » Futilité ? Pas si simple. Au
risque de trahir un secret d'Etat, voici la recette en
la matière : adopter le petit modèle, moins embar-
rassant que le grand lorsqu'il s'agit de le poser sur
les genoux... Par tempérament, la benjamine de la
classe s'abstient pourtant de courir les colloques
d'épouses de chefs. Plus d'un an après son intro-
nisation, elle n'avait toujours pas rallié Synergies
africaines, l'une des amicales de Premières Dames
contre le sida. « Pour le moment, arguait-elle alors,
je préfère rester dans mon coin. » Envers Viviane
Wade, celle qui l'a précédée au palais de l'ex-avenue
Roume, Marième affiche un respect que rien, pas
même la rudesse des empoignades mettant aux
prises leurs champions respectifs, ne semble pouvoir
altérer. « Nos rapports, soutient-elle, n'ont jamais
été gâtés. Viviane m'adorait. J'étais sa femme de
ministre préférée. Lorsque son fils Karim a perdu
son épouse, j'ai été la première à l'appeler pour la
réconforter. » Si les circonstances s'y prêtaient, la
cadette aimerait d'ailleurs rendre visite à son aînée
en sa retraite de Versailles.

Quand soufflent les vents contraires de M'bour à Tambacounda[7], quand l'impatience – légitime – des plus humbles enfièvre l'atmosphère en Casamance comme dans les banlieues du Grand Dakar, arrive-t-il encore à Macky Sall de confier à sa supportrice numéro 1 la partition du contradicteur ? Mystère. Lui sait pourtant la valeur du vieil adage revisité : pour vivre heureux, vivons coachés.

---

7. M'bour est un port de la Petite-Côte situé à 80 kilo-mètres de Dakar et à quelques encablures de la station bal-néaire de Saly ; Tambacounda est une ville de l'intérieur, à 470 kilomètres environ à l'est de la capitale.

# Sylvia Bongo Ondimba

## La captive de Libreville

Ce jeudi-là, à l'aéroport du Bourget, on a frôlé de très près le *casus belli* diplomatique. Le 13 janvier 2011, à sa descente d'un jet privé en provenance du Gabon, la passagère au teint pâle et à la chevelure de jais croit échapper comme d'habitude à l'assommant contrôle de la PAF, la Police de l'air et des frontières. Raté : hermétiques aux mimiques incrédules de l'élégante quadragénaire prénommée Sylvia, les pandores de service soumettent ses bagages de marque à une fouille en règle, sac à main compris. Ignorent-ils que la voyageuse agacée est, à la ville et à Libreville, l'épouse du chef de l'Etat gabonais Ali Bongo Ondimba, *alias* ABO ? Sans doute pas. Mais voilà : le règlement, c'est le règlement. Dès le lendemain, l'ambassadrice à Paris de la principauté pétrolière d'Afrique centrale, Félicité Ngoubili, expédie à Michèle Alliot-Marie, alors ministre des Affaires étrangères, un courrier courroucé. Au Quai d'Orsay,

on impute vaillamment l'accrochage protocolaire à un
« personnel mal formé qui aurait dû en référer à sa
hiérarchie ». Mais l'affaire n'en restera pas là. Alors
secrétaire général de l'Elysée, Claude Guéant, ce fleuron de la préfectorale saisi sur le tard par l'Afrique
et ses envoûtements comme Le Trouhadec le fut par
la débauche, ordonne une enquête administrative[1].
Tandis qu'au pays, paradis de l'or noir, des essences
tropicales et des ragots, la rumeur galope déjà : les
chiens renifleurs de la PAF, qui ont du pif, auraient
chuchote-t-on déniché dans l'une des valises auscul-
tées des traces d'une substance insolite.

Dire qu'avant ce couac, Sylvia Bongo Ondimba, qui
vit pourtant le jour à Paris en mars 1963, préférait
déjà les rives de la Tamise aux bords de Seine pour
ses escapades et ses séances *shopping*… « Elle s'est
toujours un peu méfiée du village franco-africain et
de ses us et coutumes, souligne Antoine Glaser, fin
connaisseur des marigots subsahariens. D'où ce tropisme londonien[2]. » Tropisme perceptible en février
2010 dans les coulisses d'une visite de Nicolas Sarkozy. « Tout était *so British*, se souvient un membre
de la suite élyséenne. La déco comme le traiteur. » Et
tropisme néanmoins paradoxal : c'est que la future
Première Dame du Bongoland s'initia aux mystères du
continent noir dans le sillage de ses parents, acteurs
d'une aventure postcoloniale à la française des plus
classiques, amorcée au Cameroun puis en Tunisie.

La petite Sylvia a tout juste 11 ans lorsque la famille
s'établit au Gabon. Son père, Edouard Valentin, s'y

---

1. *La Lettre du Continent*, 27 janvier 2011.
2. Entretien avec l'auteur, 2 octobre 2012.

fera très vite une place au soleil des affaires : P.-D.G.
du tout-puissant Omnium gabonais d'assurances et de
réassurances (Ogar-Vie), ce chiraquien grand teint a
depuis des lustres ses entrées au palais du Bord de mer.
Quant à sa belle-mère Evelyne, décédée l'an dernier,
elle en détint quelques-unes des clés en sa qualité de
secrétaire particulière d'Omar Bongo Ondimba, papa
d'Ali et seul maître à bord du rafiot national quatre
décennies durant[3]. Ses obsèques, célébrées le 5 avril

3. Faiblement peuplé – 1,5 million d'habitants selon les
statistiques officielles –, le Gabon, petit « émirat pétrolier »
d'Afrique équatoriale doté de denses forêts et d'une faune
riche, a été abordé par des explorateurs portugais dès le
XVe siècle, puis colonisé par la France au milieu du XIXe. En
1967, au lendemain du décès de Léon Mba, premier président
de l'ère postcoloniale, son directeur de cabinet Albert-Bernard
Bongo, dûment parrainé par Paris, prend les rênes du pays.
Autocrate roué, fin connaisseur de la classe politique hexagonale, dont il fut l'un des bienfaiteurs assidus, celui-ci ne
les lâchera qu'à sa mort, survenue en janvier 2009 dans une
clinique barcelonaise. Mais ni son habileté, ni son entregent,
ni le pactole naturel de son royaume – or noir, bois et mine-
rais – ne suffiront à masquer les travers d'un régime clanique
à la gestion rentière. Jamais l'essor économique et social du
pays ne sera à la hauteur du potentiel d'un Etat qui, en qua-
rante ans, aura bitumé environ 800 kilomètres de route…
En 1990, l'homme qui doit à son ancienneté le surnom de
« Doyen » consent, après une conférence nationale houleuse, à
l'instauration d'un multipartisme pour le moins formel, tandis
qu'une féroce lutte factionnelle déchire bientôt le Parti démocratique gabonais (PDG), formation à sa dévotion. Considéré
comme un allié fiable et généreux, mais aussi comme le garant
de la paix civile et de la stabilité régionale, Omar Bongo, qui
ajoutera Ondimba à son patronyme en hommage à ses aïeux,
bénéficia toujours de la bienveillance de Paris. Si le patriarche

2013 en l'église Saint-Pierre-de-Chaillot, à Paris, témoignent de la stature acquise par ce couple de notables françafricains; y assistaient une brochette d'officiels gabonais ainsi que trois ex-ambassadeurs de France à Libreville, Louis Dominici, Philippe Selz et Jean-Marc Simon[4].

## Une histoire d'alliances

Entre collège huppé et fiestas, Sylvia goûte dès l'adolescence aux charmes de la vie insouciante que mène en ce temps-là la jeunesse dorée expatriée. Gotha juvénile au sein duquel brillent quelques rejetons des pionniers du *business* corse en terre d'Afrique. Farniente sans fin sous les tropiques? N'exagérons rien : munie d'un baccalauréat préparé sur les bancs de l'Institution de l'Immaculée-Conception, la demoiselle Valentin reprend comme il se doit le chemin de l'Hexagone, le temps d'y décrocher un DESS de gestion d'entreprises. A son retour à Libreville, indique sa biographie certifiée conforme, l'héritière de l'assureur trouve à s'employer dans la première agence immobilière de la place, dont elle conquiert bientôt le fauteuil de directrice commerciale. Simple galop d'essai avant l'envol. En 1988, à 25 printemps à peine, Sylvia s'installe à la barre d'une société de

---

rechigna à désigner explicitement un dauphin, c'est son fils Ali, ex-ministre des Affaires étrangères puis de la Défense, qui lui succédera à l'été 2009, à la faveur d'un scrutin à un tour controversé.

4. *La Lettre du Continent*, 1er mai 2013.

gestion de patrimoine, baptisée Alliance SA, dont elle tient toujours *de facto* les commandes, formellement déléguées à un homme de confiance. A croire que les Françaises promises à un destin de *First Lady* africaine ont en commun d'aimer la pierre, précieuse ou pas : tout comme sa cadette, la future Dominique Ouattara bâtira, à partir de son fief abidjanais, un empire immobilier.

A propos d'alliance, notre patronne en herbe s'apprête alors à en sceller une autre. Car en cet an de grâce 1988, elle rencontre le fils du « Boss ». « Lors d'un dîner d'affaires », précise la bio accessible sur le site de sa fondation. « Dans un *night-club* », persifle en écho un vétéran de la nuit librevilloise. Qu'importe le prologue. L'année suivante, prétend la version officielle, Sylvia Valentin épouse l'ex-Alain Bongo, devenu Ali dès 1973, date de la conversion à l'islam du patriarche du clan ; lequel montra la voie en troquant alors son petit nom de naissance – Albert-Bernard – contre celui d'Omar. Sa future bru adopte elle aussi un patronyme musulman, Najma, quelque peu délaissé aujourd'hui. Tel ne fut pas toujours le cas : voilà une douzaine d'années – une affiche d'époque l'atteste –, la kermesse du prytanée militaire de la capitale fut placée sous le patronage de « Najma Bongo ». En ce temps-là, celle-ci coiffait volontiers un foulard ou un fichu. Un ancien ambassadeur se souvient au demeurant avoir entendu Ali l'admonester un jour en ces termes : « N'oublie pas que tu es musulmane ! » Epoque semble-t-il révolue : la Gabonaise d'adoption aurait depuis lors renoué avec les valeurs catholiques de son enfance. Il n'empêche : les deux fils du couple, l'un prénommé Noureddine

Edouard, l'autre Jalil Louis, perpétueront cette dualité culturelle[5]. Le troisième, Bilal, d'origine marocaine, a été adopté en 2002. Quant à l'aînée de la fratrie, Malika, elle est née de l'union entre Ali et Annick Aubierge Lafitte Mouvagha, sa première épouse dans l'ordre d'apparition en scène. « Même père, pas même mère », comme on dit au sud du Sahara.

Version officielle, écrivions-nous. En existe-t-il une autre ? Oui, sinon plusieurs. C'est que la saga matrimoniale d'Ali tient de l'énigme chronologique, voire du thriller médiéval. Une quasi-certitude : ce n'est qu'en 1998 – et non neuf ans auparavant – qu'il convole avec Sylvia. Union scellée alors par l'ambassadrice du Gabon en France, Honorine Dossou Naki, futur vice-Premier ministre et garde des Sceaux[6]. « Je le sais, tranche une source fiable. J'y étais. » Scénario corroboré par le témoin, tout aussi formel, d'un épisode antérieur : « En 1989, précise-t-il, Ali a assisté à

---

5. Passé par l'Institut d'études orientales et africaines du très prestigieux et très britannique Eton College, Noureddine officie désormais à la tête d'une société de production active notamment dans l'univers du rap, du hip-hop et du RnB.

6. En février 2010, le fils d'Honorine et de Samuel Dossou (l'un des cadors de l'industrie pétrolière gabonaise), prénommé Steve, a épousé Malika, la fille aînée d'Ali Bongo Ondimba. Union fêtée alors dans un palace suisse, sur les rives du lac Léman. Lycéenne à Los Angeles, étudiante à Paris, passée par l'Unesco puis l'antenne genevoise de l'Onu, ladite Malika partage son temps entre son association humanitaire Défis de femmes, l'organisation du concours Miss Gabon et, depuis peu, la politique : elle a été élue en décembre 2013 conseillère municipale d'Akanda, non loin de Libreville (*Jeune Afrique*, 22 décembre 2013).

l'Assemblée générale des Nations unies à New York, en qualité de haut représentant personnel de son père Omar. A ses côtés, point de Sylvia, mais Annick Aubierge, la première Mme Bongo Jr. » Cinq ans plus tard, avant même d'avoir divorcé de cette dernière, le futur chef de l'Etat contracte sous les lambris d'une autre chancellerie – l'ambassade du Gabon à Madrid – un nouveau mariage. Sylvia Valentin, cette fois ? Non, pas encore : Inge Lynn Collins, une Afro-Américaine rencontrée en 1986 sur la côte ouest des Etats-Unis. Quand enfin il passe l'alliance au doigt de l'agente immobilière, Ali est toujours, légalement, l'époux de l'irascible Inge. Voilà pourquoi, en 2009, lorsqu'il succède au doyen Omar au palais du Bord de mer, siège sans grâce ni charme de la présidence, celle-ci revendique bruyamment, et vainement, la dignité de Première Dame… Quitte à détailler alors, à la faveur d'un entretien pathétique accordé au *network* ABC, l'indigence dans laquelle l'aurait plongée la pingre-rie de son « ex », accusé par ailleurs, tout comme son clan familial, de cruauté et de sorcellerie. Pour un peu, on oublierait que cette Californienne désar-gentée, qui cherchait encore début 2016 un éditeur disposé à publier ses Mémoires en version française, mena longtemps grand train dans une villa de Malibu au mauvais goût hors de prix. Et que, selon le rap-port d'un sous-comité du Sénat des Etats-Unis, rendu public en février 2010, elle détint longtemps deux comptes bancaires richement dotés. A en croire Inge, elle et ABO auraient eu, au fil de leur tumultueuse aventure, trois enfants. « Inexact, objecte un fidèle de Bongo Senior, pourtant peu tendre envers l'héritier. Mais il est vrai qu'Ali a reconnu les petits de son

Américaine. » On lui accordera donc le bénéfice du
doute. Une certitude : si l'actuel président est bien le
père d'Amissa, fruit de sa liaison avec une certaine
Joyce Ondo, il ne peut prétendre, en matière de postérité, rivaliser avec son défunt paternel. Lequel eut
l'élégance, en patriarche magnanime, de reconnaître
la cinquantaine de rejetons nés de ses œuvres.

### Pièce rapportée

Peut-on, à l'instar de ce diplomate chiraquien,
réduire l'union du fils d'Omar et de la fille des Valentin à « un mariage de convenance, voire de couverture » ? Ali s'est-il, en épousant Sylvia, « racheté une
conduite » ? Maints vétérans du landernau gabonais
en doutent. « Ce couple fonctionne, objecte un ancien
ambassadeur de France. C'est incontestable. » « Malgré les incartades d'Ali, l'union est plus robuste qu'on
le croit », juge en écho une Première Dame ouest-
africaine.

Entre la progéniture de son époux et leur descendance commune, rien d'étonnant à ce que son
alter ego librevilloise ait baptisé son entreprise caritative « Fondation Sylvia Bongo Ondimba pour la
famille ». Que celle-ci soit ou pas recomposée, la
Franco-Gabonaise en connaît la chanson. Elle aura
aussi appris, parfois à ses dépens, qu'il n'est jamais
facile de vivre au côté d'un Bongo ; ni, *a fortiori* pour
une Blanche, de se frayer un chemin dans l'épineux
maquis des rivalités qui déchirent le clan régnant
sans partage depuis l'indépendance sur un pays – et
ses richesses – longtemps considéré à juste titre

comme le musée vivant d'une Françafrique sur le déclin. Dauphin adoubé à reculons par Sa Majesté Omar, Ali, bambochard réputé repenti, peut se montrer impérieux, sinon brutal. Quant à sa mère, l'influente chanteuse populaire Patience Dabany, née Joséphine Nkama, elle n'a aux dires des initiés jamais choyé la pièce rapportée. Or, mieux vaut ménager la reine du gynécée, laquelle partage son agenda entre la scène – une tournée l'a conduite en 2012 du Cameroun au Zénith de Paris, *via* le Burkina Faso et la Côte d'Ivoire – et les enjeux intérieurs : dans la province du Haut-Ogooué, fief de la tribu Bongo, elle s'évertue à pacifier les relations entre les Téké du nord et ceux du sud[7]... Pas davantage d'atomes crochus entre Sylvia et Pascaline, sœur aînée d'Ali, hier directrice de cabinet d'un *pater familias* qui lui témoignait une confiance aveugle au point de la juger parfois seule digne d'accéder au trône à l'heure de son trépas. La célébration du premier anniversaire du décès d'Omar donna d'ailleurs lieu en juin 2010 à une passe d'armes entre les deux femmes. Pressentie, Sylvia avait imaginé de placarder dans toutes les grandes villes du pays des affiches de quatre mètres sur trois à l'effigie du beau-père. Peine perdue : c'est finalement à Pascaline qu'échut l'honneur de concevoir l'hommage[8].

---

7. Membres d'une ethnie bantoue d'Afrique centrale présente en République démocratique du Congo et au Congo-Brazzaville, les Téké sont minoritaires au Gabon, mais puissamment implantés dans le Haut-Ogooué (sud-est), fief de la famille Bongo.

8. *La Lettre du Continent*, 3 juin 2010.

Si elle se tient à distance de la parentèle de son époux, la « wayeti nationale » – gabonisme apparu sur la Toile et inspiré semble-t-il de l'anglais *white* (blanche) – souffre aussi de la complicité fusionnelle nouée entre Ali et son directeur de cabinet, le Béninois Maixent Accrombessi, alliage de confiance absolue, de fraternité franc-maçonne et de passion commune pour les rites magiques vaudouisants[9]. « Toute femme serait jalouse d'une relation à ce point exclusive », avance un éminent cacique de l'ère Bongo père. « Il est certain que Maixent exaspère Sylvia, concède en écho un ex-ambassadeur de France. D'autant qu'elle a compris combien il nuit à l'image de son mari. » Sans doute ce ressentiment n'est-il pas étranger à l'éviction abrupte, à l'été 2011, d'Evelyne Diatta-Accrombessi, la femme de l'éminence grise, jusqu'alors grande prêtresse de la communication de la Première Dame. « Celle-ci lui a donné dix heures pour boucler ses valises et quitter le pays, raconte un familier du palais. Ainsi fut fait. » L'année suivante, « SBO » envisagea de confier son image et celle de ses bonnes œuvres à Framboise Holtz, ex-épouse d'une indétrônable icône de France-Télévisions. Las ! l'affaire capota faute d'accord entre les parties quant aux émoluments et aux obligations de la communicante française[10]. La sourde aversion que se vouent la femme du « Boss » et le Raspoutine du palais aura pesé sur plus d'une carrière. Honni par le second, tel protégé de la première lui doit son maintien au secrétariat général de la présidence.

9. *La Lettre du Continent*, 31 juillet 2013.

10. *La Lettre du Continent*, 23 janvier 2013.

De même, c'est dit-on la bienveillance de Sylvia qui vaudra en novembre 2015 au ministre Léon Nzouba, ancien médecin personnel de la dynastie Bongo, d'accéder au fauteuil convoité de directeur du cabinet politique d'Ali.

## Bonjour tristesse

« Incapable d'imposer sa marque à la présidence, écrivait en juillet 2013 *La Lettre du Continent*, la Première Dame se montre de moins en moins dans les murs du palais. » De même, c'est dans les atours du fantôme qu'elle traverse le pavé en papier glacé à la gloire du « Gabon émergent », publié par le très français *Journal du Parlement* à l'été 2013. Dans cet éprouvant catalogue d'interviews ministérielles, pas la moindre mention de la fille Valentin. Si ! Une seule, page 145, au détour d'une légende photo ainsi libellée : « Sylvia Bongo Ondimba (au centre), marraine de l'opération CAN sans sida. » Allusion à l'édition 2012 de la Coupe d'Afrique des Nations, hébergée conjointement par le Gabon et la Guinée équatoriale. Las ! en fait de Sylvia, le cliché met en scène la façade de la direction générale, qui, au sein du ministère de la Santé, orchestre la prévention du VIH. Simple bourde de maquettiste ou acte manqué typographique ? Allez savoir…

Entre intrigues d'antichambres, pactes et trahisons, les sphères politique, personnelle et familiale se mêlent à la cour des Bongo en un cocktail corsé, voire toxique. Du Borgia sous les tropiques. Jadis intime d'Ali, dont il fut le témoin lors du mariage avec Sylvia, parrain de Noureddine, fils premier-né du couple, André Mba Obame était aussi l'allié et porte-flingue du futur président au sein du clan des Rénovateurs, engagé dans une féroce guérilla contre les caciques de l'ex-parti unique. Il deviendra au fil des ans son rival puis son ennemi le plus farouche. Ministre de l'Intérieur du « doyen » Omar quand M. Fils détenait le portefeuille de la Défense, « AMO » rêva d'endosser la tunique du dauphin. Puis, à la mort du patriarche, en 2009, défia en vain son frère d'élection dans les urnes. Jusqu'à son décès, survenu en avril 2015 à Yaoundé (Cameroun), le prétendant vaincu martèlera qu'il fut terrassé par la fraude et vouera l'ami Ali aux gémonies. Les orages partisans n'épargnent pas l'entourage de Madame : jadis secrétaire particulière d'Omar, Victorine Tchicot, séduite par le courant Héritage et Modernité, faction dissidente du PDG, a démissionné en janvier 2016 de ses fonctions de chef de cabinet de Sylvia.

Psychologie à trois francs CFA ? Peut-être. Hasardons néanmoins l'hypothèse : au-delà des sourires protocolaires et des propos de circonstance, celle-ci peine parfois à charrier son fardeau, si doré soit-il. On sent parfois passer dans son regard comme un nuage de mélancolie, voire un voile de mal-être. « Je doute qu'elle soit heureuse, avance un ami de jeunesse. Et il lui arrive de craquer. Dans ces moments-là, elle s'en tient au service minimum des devoirs de sa charge. Ne cherchez pas ailleurs le ressort de ses échappées, à Londres ou ailleurs. » Fuir la touffeur de Libreville, humer un air plus léger. Et quêter peut-être, dans le clinquant des vitrines des joailliers, l'éclat perdu des rêves adolescents. Parfois pourtant, la lassitude affleure. Pour preuve, l'interview accordée en novembre 2011 à *L'Union*, le très conformiste quotidien gabonais, au terme d'une tournée qui conduisit notamment « SBO » dans les corridors du centre hospitalier de la capitale ou ceux de l'hôpital pédiatrique d'Owendo, cité portuaire voisine. Que lui inspire son périple ? « Colère, tristesse et désolation », réplique-t-elle. Et de dénoncer sans détour la vétusté des équipements, les pénuries de médicaments et des déficiences « inadmissibles », qu'il s'agisse des capacités d'accueil ou de la salubrité. « Il n'est plus acceptable, assène l'illustre visiteuse, qu'une femme meure en donnant la vie. » Lui objecte-t-on l'inusable martingale du manque de moyens ? La riposte cingle, aussi acide qu'un réquisitoire d'opposant : « Les budgets existent. L'administration a bien de très beaux 4 × 4, non ? Le gros problème du Gabon, c'est la gestion. » Deux ans plus tard, et par le même canal, Sylvia réitérera la frustration que lui inspire l'inertie du gouvernement et du parlement. « Je fais ce que je peux », insiste la Première Dame. Mais, concède-t-elle plus loin, « si je ne suis pas aidée, je ne peux rien[11] ». A la même époque, et en marge du lancement d'un audit du dispositif d'assistance sociale gabonais confié au cabinet McKinsey, elle établira cet implacable diagnostic : « Nous dépensons beaucoup d'argent pour peu de résultats. Les aides sont éparpillées dans

---

11. *L'Union*, 21 octobre 2013. Le même quotidien évoque « la construction ratée » de salles de classe censées favoriser la réinsertion des jeunes détenus de la prison centrale de Libreville, et ce « malgré les 350 millions de francs CFA – soit plus de 533 000 euros – déversés ».

un système qui en devient opaque et ne produisent aucun impact réel ni sur le quotidien des bénéficiaires ni sur leur avenir. » Si l'on osait, on l'inviterait à en toucher un mot à son président d'époux, qui briguera le 28 août prochain un nouveau mandat...

## Constat de carence

L'auteur de ces lignes aurait aimé s'y risquer de vive voix. D'autant qu'il gardait en mémoire un échange impromptu d'une bienséante banalité, datant de 2005, en préambule d'un rendez-vous avec Ali Bongo, alors ministre de la Défense et fer de lance, au sein du Parti démocratique gabonais (PDG), de la faction « rénovatrice ». Le futur chef de l'Etat tardant quelque peu, Sylvia avait, en hôtesse prévenante, meublé l'attente, devisant citronnade à la main sur son quotidien, ses lieux de villégiature favoris et l'art délicat d'éduquer les enfants. Hélas, la demande d'entretien transmise sept ans plus tard par le canal de l'ambassadeur du Gabon à Paris, Germain Ngoyo Moussavou, restera vaine. Pas facile il est vrai d'accéder à la requête d'un journaliste interdit de séjour à Libreville depuis des années et qu'une poignée de courtisans trop zélés pour être honnêtes poursuivent d'une hargne névrotique. On saura donc gré à l'épouse du patron d'avoir pris soin de signifier par courrier son refus poli. A l'intérieur de l'enveloppe aux armes de la République – avec gaufrage argenté du plus bel effet –, une lettre datée du 25 octobre 2012 et signée de la main de la *First Lady*. « Je vous remercie, écrit-elle, pour l'intérêt que vous manifestez à ma personne ainsi qu'à mes engagements auprès des populations gabonaises. » Si l'intéressée « comprend » cette « volonté de mettre en lumière le rôle, parfois méconnu, des Premières Dames du continent africain », elle précise que « pour des raisons de déontologie », elle « n'accorde pas d'interview ». Ce qui est faux, comme l'attestent les questions-réponses parues dans les colonnes de *L'Union* et citées plus haut, ou les interviews publiées par *Jeune Afrique*. Qu'à cela ne tienne : à défaut de l'audience espérée, le destinataire aura droit au rapport d'activités 2011 de la fondation SBO, lancée solennellement le 16 avril de la même année. Un document à la mise en pages soignée, qui détaille, chiffres et photos à l'appui, les trois priorités de l'organisme cher à la Première Dame : éducation, droits et promotion de la femme, insertion des personnes fragilisées. Triptyque convenu, tout comme le dessein affiché de « donner une voix aux sans-voix » et de « renforcer la société civile ».

Voilà une idée judicieuse. D'autant qu'il arrive au régime d'Ali Bongo, grand timonier du nouveau Gabon, d'étouffer avec rudesse les cris des vigies les plus turbulentes de la planète ONG. Militant intransigeant de la transparence, Marc Ona Essangui, cible d'un harcèlement opiniâtre, en sait quelque chose. Tout comme l'avocate Paulette Oyane Ondo, lauréate en 2013 du prix de la « femme leader politique de l'année » décerné par le département d'Etat américain ; un trophée que, par souci de ménager le palais du Bord de mer et au prix d'une piteuse dérobade, Washington renoncera à lui remettre en mains propres. Accès aux soins, prise en charge des familles affectées par la drépanocytose – maladie génétique altérant l'hémoglobine –, le VIH ou le paludisme, distribution de moustiquaires imprégnées de substance répulsive, secours aux enfants orphelins ou abandonnés : comme souvent, le catalogue des œuvres de Madame dessine en creux les contours de l'échec de Monsieur et du beau-père disparu, ou à tout le moins de l'incurie des services de l'Etat sous les Bongo père et fils. Ainsi, s'agissant des handicapés, le rapport déplore « l'effondrement des réseaux traditionnels de solidarité familiale et villageoise, l'aggravation de la précarité, l'isolement et la marginalisation ». La faute à qui ?

### Délit de veuvage

Si elle dispose, pour conduire la fondation, de sa propre *task force*, Sylvia puise dans le même vivier que la présidence. Son ancien directeur de cabinet, le peintre Ernest Walker Onewin, a hérité depuis du semi-maroquin de ministre délégué à la Culture, à la Jeunesse et aux Sports. Quant à son experte en développement durable, Kate White, elle n'est autre que l'épouse du scientifique américain nommé en 2009 par Ali Bongo secrétaire exécutif de l'Agence nationale des parcs nationaux[12]. « Pour le reste, constate un éditorialiste gabonais, ça bouge tellement qu'il n'est pas facile de dire qui fait quoi. » Chacun peut toutefois, si tel est son vœu, suivre à la trace, voire en temps réel, les activités de la Première Dame. Car celle-ci s'est dotée d'emblée de tous les instruments

---

12. *Jeune Afrique*, 21 octobre 2010.

de la modernité : dotée d'un Boeing 737 privatisé, elle a son site, certes, mais aussi son compte Twitter et sa page Facebook. En septembre 2010, on pouvait ainsi l'escorter virtuellement à New York, théâtre de réunions de travail de l'Unicef, de l'Onusida et du Fonds des Nations unies pour la population, et à Yaoundé (Cameroun), où elle formalisa son adhésion à Synergies africaines, l'amicale anti-VIH des Premières Dames. Ou encore accompagner à Libreville la coordinatrice générale de l'exposition « Gabon, ma terre, mon futur ». Côté image, Sylvia diffuse *via* les réseaux sociaux son propre album photo. La voici en tournée en province, à la sortie de l'Elysée, ou au côté du buteur camerounais Samuel Eto'o. Une icône de la planète foot volontiers sollicitée, qu'il s'agisse de remettre aux athlètes paralympiques du matériel handisport ou de tourner un spot diffusé à la veille de la Coupe d'Afrique des Nations 2012 et dans lequel apparaît la légende brésilienne du ballon rond Pelé. Leitmotiv de la campagne : « Zéro transmission, zéro décès, zéro discrimination : 3-0 pour une CAN sans sida. » A la rentrée 2015, la *First Lady* 2.0 a enrichi sa panoplie d'un compte Instagram. Elle s'y affiche au côté de son époux, abreuvé d'ardents serments d'amour. Mais elle y dévoile aussi des photos de famille inédites, à commencer par celles de feu Omar Bongo couvant du regard Ali enfant, ou posant avec sa mère en titre Patience Dabany. Difficile de ne pas déceler au gré de tels clichés un message subliminal : la filiation du successeur déchaîne de féroces controverses, attisées par les convoitises que suscite l'héritage du défunt patriarche.

Pas un domaine, jurerait-on, n'échappe à la bienveillante attention de Sylvia. Au fil des pages du rapport mentionné précédemment, il est question du soutien à une sprinteuse sélectionnée pour les jeux Olympiques de Pékin, d'un don de calculatrices à des lycéens méritants, de la formation aux NTIC – les nouvelles techniques de l'information et de la communication –, de la réinsertion des jeunes détenus en milieu carcéral ou de la promotion du microcrédit chez les paysannes. Moins conventionnel, le combat contre « la maltraitance envers les veuves », engagé avant même la naissance de la fondation SBO, et qui aboutira à l'instauration par consensus, par l'Assemblée générale des Nations unies, d'une Journée internationale, fixée au 23 juin. Peu avant sa première édition, en 2011, Sylvia Bongo signera dans *Jeune Afrique* un plaidoyer en faveur de ces femmes exposées aux brutalités, à la spoliation et au remariage forcé, souvent « chassées de leur domicile, séparées de leurs enfants et plongées dans la misère ». Reste que le maigre écho que suscite cette noble cause attise l'impatience de son avocate. Laquelle, dans un entretien mentionné plus haut, déplore qu'il soit plus aisé de convaincre à l'Onu qu'au pays, en dépit des « moyens personnels » et de « l'énergie folle[13] » qu'elle

---

13. *L'Union*, 21 octobre 2013. Qu'il s'agisse du sort des veuves ou de l'émancipation morale et matérielle de la femme gabonaise, les engagements de Sylvia Bongo Ondimba lui valent des éloges dithyrambiques, telle cette « lettre ouverte », diffusée en novembre 2013 par l'Union des Jeunes du PDG, le parti présidentiel. Attribuée à une certaine Albertine Mouélé, présentée comme l'épouse d'un sergent-chef de l'armée, cette missive rend grâce à la Première Dame d'avoir contribué à

y consacre. Cent fois sur le métier... En novembre 2013, à la veille d'une autre Journée internationale, dédiée celle-là à « l'élimination de la violence à l'égard des femmes », c'est de nouveau dans les colonnes du célèbre hebdomadaire panafricain que la *First Lady* gabonaise secouera le cocotier de l'apathie : « Il est de mon devoir, y écrit-elle, de traquer sans relâche toutes les injustices que subissent mes sœurs, souvent maltraitées, violées, humiliées, tourmentées, dépouillées de leurs droits et de leur honneur. » Cette imprécatrice inattendue ne rechigne pas à mouiller le maillot. Au sens propre du terme : munie du dossard 3509, Sylvia a pris part le 29 novembre 2014 à « La Gabonaise », course à pied vouée à récolter des fonds en faveur de la lutte contre les cancers du sein et de l'utérus. Partie au milieu du peloton, la *First Lady* sera créditée du 603e temps. Effort payant : pour chaque concurrente dépassée en petites foulées – on en dénombra paraît-il 1248 –, les trois sponsors de ce jogging caritatif ont abondé le budget que la Fondation SBO alloue à la construction de la « Maison d'Alice », structure dédiée à l'accueil des malades.

### *Singulier* Pluriel

Sur le front des détresses sociales, la Première Dame a enfourché un autre cheval de bataille : la

---

contraindre tout militaire d'épouser en bonne et due forme sa concubine et se termine par cette triple objurgation : « Ne vous découragez pas ! Ne renoncez pas ! Ne nous laissez pas tomber ! »

lutte contre les « crimes rituels », ces assassinats dictés par la terreur de la malédiction, reflets de la persistance de l'emprise qu'exercent sorciers, féticheurs et autres jeteurs de sort. Le 11 mai 2013, à Libreville, elle a ainsi pris part au côté des familles des victimes à une marche parrainée par les communautés religieuses du pays. Marche torpillée le mois précédent par un veto des autorités, dont la Première Dame obtiendra de haute lutte la levée. « De quoi, note un analyste librevillois, plonger dans l'embarras le président, lui-même hostile à cette manifestation, mais contraint de désavouer son gouvernement. » Et qui tâchera *in fine* d'en récupérer l'impact à son profit. Autant dire que l'activisme de Sylvia en la matière suscite sarcasmes et grincements de dents chez ceux qui soupçonnent la femme blanche du chef, encline à leurs yeux à « trop en faire », de demeurer hermétique aux « spécificités culturelles » de l'Afrique centrale et de son bois sacré. Consciente de s'attaquer à un tabou tenace, l'intéressée postera sur sa page Facebook, la veille du défilé, un argumentaire flétrissant l'archaïsme meurtrier. Lequel « nous renvoie à des pratiques obscures, obsolètes, à des croyances irrationnelles qui constituent autant d'entraves à la naissance d'un Etat moderne et solidaire ».

On l'aura compris : malgré l'identité de sa présidente, à moins que ce soit à cause d'elle, la fondation n'est nullement immunisée contre procès et griefs. En mars 2013, protestant de son « souci d'indépendance et de respect du bon usage des fonds publics », elle a démenti par voie de communiqué avoir reçu de l'Etat une enveloppe d'un montant d'un milliard de francs CFA – soit plus de 1,5 million d'euros.

Dotation « jamais sollicitée d'aucune manière », et pourtant inscrite dans les lois de finances 2012 puis 2013. « Informée de cette inscription dès septembre 2011 par le ministère du Budget, y lit-on, la fondation Sylvia Bongo Ondimba pour la famille a refusé cette subvention à trois reprises par courriers écrits adressés à différentes administrations publiques entre novembre 2011 et août 2012. » A en croire la mise au point, la somme incriminée aurait été provisionnée, mais jamais versée. « A moins, suggère un journaliste gabonais, qu'elle ait été décaissée au profit de proches de la présidence. » En conclusion, le texte « regrette » l'impact néfaste de telles « erreurs » sur l'image de la maison et suggère à la Cour des comptes de Libreville de diligenter une enquête « afin de faire la lumière sur ce dossier ». C'est donc bien qu'il y a lieu de dissiper l'obscurité qui l'entoure. Au mieux, tout cela fait un peu désordre...

Du long périple dans le « Gabon profond », avec distribution de fauteuils roulants et de matériel agricole, au discours prononcé au siège new-yorkais de l'Onu, les hauts faits de la reine Sylvia ont droit bien entendu à une ample couverture sur les écrans de la télévision publique. Traitement flatteur, à une mémorable exception près. Le magazine *Pluriel*, l'une des émissions les plus suivies de la RTG1 – la première chaîne maison –, paya ainsi d'une suspension *sine die* l'audace critique d'un reportage diffusé en avril 2011. Ses auteurs avaient eu le culot de dénoncer le piètre état de la maison – ni achevée ni meublée – offerte à une « vieille maman de Kinguélé », quartier populaire de la capitale. « Je te conseille d'aller demander pardon à la Première Dame », aurait suggéré à l'un d'eux le directeur général de la chaîne. Excès de zèle d'un patron sous pression ? Pas exclu. Lorsque les « coupables » se rendirent au cabinet de la bienfaitrice outragée pour y remplir un formulaire de demande d'audience, l'intéressée leur signifia par téléphone n'avoir à aucun moment exigé leur disgrâce. « Je n'ai rien à vous reprocher, aurait-elle signifié. Ce n'est pas à ma demande que *Pluriel* a été suspendu. » Cela posé, ce psychodrame n'a fait que hâter la mise à mort d'un programme peu prisé en haut lieu, où l'on reprochait à ses animateurs leur indulgence envers les propos, jugés malveillants à l'endroit du chef de l'Etat, tenus en direct par certains invités.

## Nyfa ni à faire

En partie étrangère au sérail, SBO ne pèserait, sur l'échiquier politique, que d'un poids marginal, voire insignifiant. « Même si sa croisade en faveur des veuves lui vaut une visibilité accrue, avance Frédéric Lejeal (*La Lettre du Continent*), son influence se limite à l'aménagement intérieur du palais du Bord de mer, entièrement rénové par un décorateur anglais[14]. » Initiative moins futile qu'il y paraît : tandis que son mari s'échinait à « exfiltrer » en douceur la vieille garde paternelle, la Première Dame a donc contribué, fût-ce symboliquement, à solder l'héritage écrasant légué par feu Omar Bongo Ondimba ; sinon, ironise un universitaire, à « désenvoûter le saint des saints ».

---

14. Entretien avec l'auteur, 19 janvier 2013.

De même, à en croire un de ses interlocuteurs réguliers, Sylvia se préoccupe de la stabilité de sa patrie d'adoption et juge indispensable une décrispation entre le pouvoir et les ténors de l'opposition. « Ne vous méprenez pas quant à son influence, insiste un diplomate digne d'un doctorat en gabonologie, elle est bien moins sotte qu'on pourrait le penser. Et a pour habitude d'exprimer ses opinions. »

Quels que soient ses doutes et ses tourments intérieurs, Sylvia s'acquitte honorablement sur l'avant-scène protocolaire des obligations de sa charge. Le 10 novembre 2010, en marge d'une visite officielle à Singapour, elle accompagna ainsi son époux à la « VIP Orchid Naming Ceremony ». Sans doute l'histoire de l'horticulture retiendra-t-elle que le couple Bongo a alors donné son nom à la *Dendrobium williamsianum*, espèce hybride d'orchidée à pétales roses[15]. On l'avait aussi vue, quatre mois plus tôt, s'attarder sur le perron de l'Elysée avec Carla Bruni, au terme d'une rencontre des *First Ladies* d'Afrique conviées, aux côtés de leurs époux, aux festivités du cinquantenaire des indépendances du continent. Virée onéreuse : même si l'Etat gabonais a acquis à prix d'or l'ex-hôtel

---

15. *La Lettre du Continent*, 25 novembre 2010. Il arrive à la *First Lady* de Libreville d'hériter de missions moins fleuries. En sa qualité de présidente d'honneur de la Croix-Rouge gabonaise, elle a ainsi séjourné fin octobre 2013 à Bangui, où elle transmit notamment un message de soutien et de réconfort aux concitoyens engagés au sein de la Force multinationale de l'Afrique centrale (Fomac). De même, les 13 et 14 février, elle a participé à Londres aux travaux de la commission créée neuf mois plus tôt par l'Onusida et la revue médicale *The Lancet*.

particulier parisien des Pozzo di Borgo, sa délégation fut logée pour l'occasion au Georges-V dans une vingtaine de chambres, dont deux suites à 8 500 euros la nuitée… Nullement sectaire, Sylvia entretient avec Cécilia Attias, la précédente Mme Sarkozy, des relations amicales. A Libreville, l'une et l'autre ont tenu leur rang d'hôtesse lors du lancement du New York Forum for Africa (Nyfa), clinquant barnum coorganisé par leurs maris respectifs, où chefs d'Etat, ministres, patrons, jeunes talents et « people » dissertent en chœur sur les promesses d'un avenir radieux. Le 11 juin 2012, la fondation SBO et la Cécilia Attias Foundation for Women pilotèrent ainsi un « *Dialogue for Action* » consacré notamment à l'amélioration de la santé maternelle et infantile. « Bizarrement, relève un témoin, Sylvia a semblé très peu impliquée, sinon distante, lors de l'édition 2013. » Peut-être avait-elle entrevu les travers d'un *casting* hétéroclite et versatile. Annoncé, l'acteur et cinéaste américain Spike Lee s'est dérobé *in extremis*, après qu'un collectif de la société civile lui eut adressé une lettre ouverte. En revanche, Christine Ockrent, virtuose des « ménages » subsahariens, avait bien fait le déplacement. On peut toujours compter sur les valeurs sûres de leur valeur.

# Chantal Compaoré

## Le métissage façon Faso

Accablée et pensive, la jeune veuve, assise sur un tabouret, récure machinalement une pile d'assiettes. En cette aube d'octobre 1987, Mariam a consenti malgré son chagrin à recevoir le jeune reporter togolais Jean-Baptiste Placca dans une courée sans charme de Ouagadougou ; celle de la demeure de son beau-père, où elle réside alors. Quelques jours plus tôt, son mari Thomas Sankara, président du Burkina Faso, a été assassiné lors du coup d'Etat orchestré par un « frère d'arme » nommé Blaise Compaoré. « Pourquoi ? Mais pourquoi ? lance-t-elle entre incrédulité et colère à son visiteur. Thomas et Blaise étaient pourtant amis... Tout ça, c'est sans doute la faute de sa femme. Il a dû se faire manipuler[1]. » Allusion à l'épouse de celui qui

1. Entretien avec l'auteur, 13 septembre 2013. Ordonnés par la justice sur requête de Mariam et de ses fils Philippe et Auguste, désireux de vérifier que la dépouille de

régnera sans partage, vingt-sept années durant, sur l'ancienne Haute-Volta ; celle-là même, confie-t-elle à Placca, qui la gratifiait de conseils quant à sa garde-robe ou à son maintien. Aujourd'hui installée dans la région de Montpellier (Hérault), Mariam Sankara croit-elle encore que Chantal Compaoré, née Terrasson de Fougères, inspira d'une manière ou d'une autre le putsch fatal à son indocile compagnon et à la révolution populiste et « anti-impérialiste » qu'il cornaquait à la hussarde ? Thèse défendue par une frange de l'opposition sankariste radicale. Et que tend à accréditer cet ancien diplomate : « Peu de temps avant la mise à mort de Thomas, m'a certifié un de ses interlocuteurs d'alors, elle lui a dit ceci : "Il serait temps d'en finir avec cette aventure. Blaise doit prendre les choses en mains." » Une évidence : fondés ou pas, de tels soupçons attestent l'influence que l'on prêtait déjà, à l'époque, à la compagne de l'ex-chef de l'Etat burkinabé.

Le temps qui passe ne fait rien à l'affaire. Tout ce qui touche aux circonstances de la liquidation de l'icône tiers-mondiste demeure délicat, épineux, voire tabou. Un indice parmi d'autres. Au printemps 2013, lorsque l'auteur de cet essai, de passage à Ouaga, sollicite un entretien avec la Première Dame du pays

---

« Thom'Sank' » fut bien inhumée comme le veut la version officielle au cimetière de Dagnoën, l'exhumation le 26 mai 2015 de son cadavre supposé et les tests pratiqués ensuite par le laboratoire de la police scientifique de Marseille n'ont pas permis de détecter de traces ADN exploitables. Saisi en janvier 2016, le juge d'instruction chargé du dossier a accordé une contre-expertise.

des Hommes intègres, sa requête recueille dans l'entourage de celle-ci un écho favorable. Seule incertitude, la date de l'audience, compte tenu de « l'emploi du temps extrêmement chargé » de l'intéressée. Les agendas, on le sait, ont bon dos. Car bientôt le vent tournera. Des réponses dilatoires, on passe au silence radio. Au point que la directrice de la communication de Madame ne daigne même plus accuser réception des ultimes relances adressées par courriel. Sans doute faut-il voir dans cette volte-face inexpliquée l'embarras suscité par le canevas de l'interview transmis entre-temps. Et plus précisément par ces deux questions : « Est-il exact que vous entreteniez avec l'épouse de Thomas Sankara des relations amicales ? » ; « Est-il vrai que le défunt président ivoirien Félix Houphouët-Boigny a joué un rôle déterminant dans votre rencontre avec Blaise Compaoré ? » Interrogations moins anecdotiques qu'il y paraît, tant il est vrai que l'union entre « Chantou » et « le Beau Blaise » ressemble à s'y méprendre à un mariage arrangé. Arrangé, mais certes pas par les soins d'une marieuse quelconque. Dans le rôle de l'entremetteur haut de gamme, Houphouët soi-même. C'est que les foucades et les ruades du capitaine Sankara, cet insolent afro-marxiste, bousculaient l'assise patriarcale du très francophile Bélier de Yamoussoukro autant qu'elles irritaient l'ancienne puissance coloniale. Quoi de plus judicieux, après avoir vainement tenté d'amadouer au prix fort le fougueux trublion, que de miser sur son bras droit, quitte à guider vers son alcôve une beauté métisse à l'impeccable pedigree franco-ivoiro-burkinabé ?

*Cocktail postcolonial*

Née le 25 septembre 1954 à Dabou, cité lagunaire
à l'ouest d'Abidjan, Chantal est en effet la petite-fille
de Jean-Henri Terrasson de Fougères, qui fut gouverneur de l'Afrique occidentale française (AOF) de
1924 à 1931 ; et la fille du docteur Jean Kourouma
Terrasson, haut fonctionnaire au sein du ministère
de la Santé et figure éminente de la toute jeune Côte
d'Ivoire indépendante. Comme s'il fallait parfaire ce
cocktail postcolonial, la famille, réputée proche du
clan houphouëtiste, avait aussi fait souche à Bobo-
Dioulasso, deuxième ville du Faso. Chantou se sent-
elle avant tout burkinabé ou ivoirienne ? « Je suis les
deux, répond-elle en 2009 à fratmat.info, le site web
du quotidien *Fraternité-Matin*. Mais avant tout africaine. » Interrogé ensuite sur ses mets favoris, la *First
Lady* associe tout aussi diplomatiquement dans son
menu idéal les « *must* » des maquis abidjanais – fou-
tou sauce claire et kedjénou de poulet à l'attiéké –
aux sauces feuilles burkinabé. En ce temps-là, elle se
rendait deux ou trois fois l'an au pays des Eléphants
pour y retrouver sa mère Simone, une ancienne sage-
femme aux racines voltaïques, établie depuis des
lustres dans le quartier Marcory Résidentiel. Décédée le 24 mai 2011, la très pieuse « Maman Simone »
a d'ailleurs été inhumée au cimetière municipal de
Williamsville, commune du Grand Abidjan. « Chantal
et moi fréquentions toutes deux le collège Bougain-
ville, raconte sa voisine d'alors Monique Maurice,
issue d'une illustre lignée de souche martiniquaise.
Je me souviens d'une fille gaie, insouciante, un rien

dissipée, mais qui savait ce qu'elle voulait[2]. » L'un de ses frères, prénommé François, sert au sein de l'armée de l'air des Fanci – les Forces armées de l'ex-locomotive de l'Afrique de l'Ouest – avec le grade de médecin-colonel. Quant à sa sœur Gisèle, elle est l'épouse d'Alain Ekra, ministre de la Santé d'Houphouët de 1989 à 1992. Autre pilier d'une riche fratrie : le cadet Max, jadis représentant au Burkina du voyagiste Nouvelles Frontières[3].

Autant dire que le tropisme ivoirien de la fille du Dr Terrasson n'est pas étranger aux liens privilégiés tissés avec Dominique Ouattara, l'épouse du tombeur de Laurent Gbagbo. Ligne de force de la géopolitique sous-régionale, l'axe Ouattara-Compaoré se conjugue donc aussi au féminin. En matière d'ambition, Chantal aura d'ailleurs été pour Blaise ce que Dominique fut pour Alassane : l'éperon conjugal.

### Le feu, la glace et le son du clairon

S'agissant de la première rencontre entre « le Blaiso », coureur impénitent promis alors à une jeune femme du quartier Dapoya de Ouaga, et la petite Terrasson, ancienne majorette mais aussi handballeuse et basketteuse d'élite, les diverses versions qui circulent au Faso s'accordent au moins sur la date : le 15 janvier 1985. Ce jour-là, Compaoré, fringant officier et ministre d'Etat chargé de la Justice, qui conduit une délégation burkinabé en visite à Abidjan,

2. Entretien avec l'auteur, 30 août 2013.
3. *La Lettre du Continent*, 9 janvier 1997.

croise sa future à la faveur d'un banquet. A la fin des agapes, il ordonne à l'un de ses collaborateurs de lui glisser une lettre assortie de sa carte de visite. Selon l'un des scénarios, la présidence ivoirienne avait invité le proviseur du lycée de jeunes filles de Yamoussoukro à sélectionner pour l'occasion les élèves les plus accortes. A en croire d'autres récits, Chantal fut à dessein « infiltrée » parmi les hôtesses d'accueil déployées par le protocole dans le palace abidjanais où séjournait le visiteur choyé. Plus tard, c'est soit à Abidjan, soit au Silmande, un hôtel oua-galais, que le couple se retrouvera le week-end. Une ultime variante pour la route ? La scène du coup de foudre aurait eu pour décor une fête donnée à Bobo-Dioulasso, en terre burkinabé, chez les Vicens, la famille maternelle de Chantal.

Qu'importe les détails : la « nièce » d'Houphouët-Boigny aura bien été la « carte maîtresse » de sa stratégie régionale[4]. « Un verrouillage matrimonial, confirme Antoine Glaser, vétéran du marigot subsaharien. Dicté par la volonté de s'assurer de la quiétude des trois millions d'immigrés burkinabé employés dans les plantations cacaoyères du pays et, avant tout, d'affaiblir Sankara[5]. » Lequel tenait la protégée du Vieux pour une « espionne ». De l'aveu d'un de ses familiers, ce pacte matrimonial, jugé sus-pect, empoisonnera les rapports que Thomas entre-

---

4. Formule employée par Olivier Blot dans son mémoire de DEA d'études africaines intitulé « Epiphénomènes burki-nabé de la crise ivoirienne », sous la direction de Richard Banégas (année universitaire 2002-2003).

5. Entretien avec l'auteur, 2 octobre 2012.

tenait avec un second réputé jusqu'alors loyal. Sans le dissuader pour autant d'endosser, à l'heure des épousailles, la livrée du témoin. Chantal Terrasson dut-elle vraiment forcer sa nature pour servir ainsi les calculs de « tonton Houphouët » ? Il y a lieu d'en douter. « Héritière de l'aristocratie franco-africaine, jolie, enjouée et un rien désœuvrée, elle souhaitait lier son sort à celui d'un homme à destin, suggère Jean-Baptiste Placca. Nul doute que Chantal a poussé Blaise à s'emparer du pouvoir. Ambition dopée par l'envie d'accéder au prestigieux statut de Première Dame et aux privilèges qu'il procure[6]. » Attirée par les stars, l'avenante métisse, « très courtisée » aux dires d'une copine d'enfance, fréquenta auparavant le footballeur ivoirien Laurent Pokou, buteur du Onze national et double Ballon d'or africain. De même, les initiés du « village » lui prêtent une tumultueuse aventure avec le gouverneur gabonais d'une banque régionale.

Laissons là ces liaisons supposées : le mariage, le seul, le vrai, fut bel et bien célébré le 29 juin 1985, soit cinq mois après le premier échange de regards. Si l'avion personnel d'Houphouët-Boigny achemina le couple jusqu'au lieu de la cérémonie, celle-ci manqua quelque peu de glamour : pour se passer la bague au doigt, on doit pouvoir trouver mieux que le camp d'entraînement des commandos parachutistes de Pô, non loin de la frontière ghanéenne, fût-il le fief du jeune époux et la rampe de lancement de l'insurrection sankariste d'août 1983 fatale au président Jean-Baptiste Ouédraogo, médecin militaire

---

6. Entretien avec l'auteur, 9 octobre 2012.

parvenu lui-même au pouvoir neuf mois plus tôt au prix d'un putsch.

Dans l'alchimie du couple, dit-on, les contraires s'attirent. En juillet 2008, l'hebdomadaire satirique ouagalais *Le Journal du jeudi* raillait « l'alliance improbable de M. Carpe et de Mme Lapin[7] ». Lui, le Sahélien austère et taiseux ; elle, la côtière au sang chaud, épicurienne, exubérante et « croqueuse de diamants ». Lui, le Mossi du « Grand Nord », elle, la flamboyante sang-mêlé. « Blaise, avance Placca, lui a parfois reproché son goût pour le clinquant et les paillettes. Ostentation qu'il jugeait déroutante aux yeux du Burkinabé lambda, simple et digne dans le dénuement. » Reste qu'il arrive au feu de fortifier la glace. « Par son tempérament, note un ancien ambassadeur en poste à Ouagadougou, la Première Dame a participé à la valorisation politique de son conjoint. Futée, vive, sympa, naturelle, elle adoucissait son image, au pays et au-delà. » Tâche ardue au regard du palmarès d'un putschiste qui, non content d'enjamber le cadavre de Sankara, aura couvert *de facto* l'assassinat, en décembre 1998, du journaliste Norbert Zongo, frayé avec le chef de guerre libérien Charles Taylor et materné les cerveaux de la rébellion ivoirienne qui, en septembre 2002, assiégea le président élu Laurent Gbagbo, s'emparant au passage de la moitié nord du pays[8]. Mais les faits sont là : qu'il doive cette acrobatique réhabilitation à ses

---

7. *Le Journal du jeudi*, 1er août 2008.

8. Lire le rapport bilan publié en juillet 2013 par l'International Crisis Group, sous le titre : « Burkina Faso : avec ou sans Compaoré, le temps des incertitudes » (www.crisisgroup.org).

talents manœuvriers ou à sa moitié, Blaise aura un temps troqué sa défroque kaki d'aventurier contre le costume du médiateur régional ménagé par ses pairs et choyé par l'Occident. « Amplement relayé par les médias locaux, insiste notre diplomate, l'engagement caritatif et social de Chantal a contribué à cette humanisation. »

## Au nom des sœurs

On peut, il est vrai, goûter le luxe, se faire une haute idée de son statut, au point de refuser la fouille au corps réglementaire au départ d'un vol Air France pour Paris[9], et embrasser de nobles causes. En l'espèce, il faudrait une bonne dose de mauvaise foi pour dénier à Chantal Compaoré le mérite de batailler depuis des lustres sur le front de l'excision et autres « mutilations génitales féminines » (MGF). Un combat qui, au terme de la campagne internationale dont elle fut la coordinatrice, aboutira enfin, le 26 novembre 2012, à l'adoption par l'Assemblée générale des Nations unies d'une résolution inédite dénonçant ces rites archaïques et cruels, en vigueur dans une trentaine de pays du continent noir dont, outre le Burkina, le Mali, la Côte d'Ivoire, le Sénégal, la Guinée ou le Tchad. Certes, dénoncer n'est pas prohiber. Certes, l'objectif affiché par le plan régional lancé en 2008 – à savoir l'élimination de ces amputations barbares à l'horizon 2015 – paraissait illusoire. Il n'empêche : ambassadrice de bonne volonté du Comité interafri-

---

9. *La Lettre du Continent*, 6 février 1997.

cain sur les pratiques traditionnelles néfastes, la Première Dame aujourd'hui déchue du Faso a maintenu son cap. Au cours de l'exercice 2012, on l'a vue ainsi plaider la cause de ses sœurs à Londres, à Bruxelles, à Washington ou à Berlin, puis présider au pays le lancement d'une session de formation au traitement des séquelles physiques, psychologiques et morales dont souffrent les victimes des MGF. En mars 2013, elle participait encore à New York à une réunion de travail animée conjointement par l'Organisation internationale de la francophonie (OIF) et l'Onu, au côté notamment de la Française Najat Vallaud-Belkacem, ministre des Droits des femmes et porte-parole du gouvernement.

« Tantie Chantal » aurait-elle inspiré la loi, adoptée en avril 2009, instituant un quota de 30 % de candidatures féminines lors des scrutins municipaux et législatifs ? Probable. Qu'elle fustige les effets pervers des mariages précoces et de la polygamie, qu'elle préconise une meilleure maîtrise de la « démographie galopante » de l'Afrique, qu'elle vante les vertus de la planification familiale ou de la scolarisation des filles, dotant de bourses des gamines démunies, l'épouse du chef endosse le langage de la modernité, quitte à heurter les franges les plus conservatrices du Burkina profond. Qu'à cela ne tienne : chez les Hommes intègres comme à l'étranger, la Première Dame du palais de Kosyam, siège de la présidence dont elle supervisa la rénovation, semblait résolue à épuiser toutes les nuances de la palette humanitaire, cueillant au passage titres et lauriers. Calcul d'image ? Un peu court. Cet engagement peut obéir à d'autres ressorts, dont un drame intime : le décès du fils des

époux Compaoré, né au début de leur union et prénommé Stéphane, vaincu par une maladie génétique
en dépit des soins prodigués entre Ouaga et Paris.
Fille unique du couple, Djamila vit quant à elle le jour
en mars 1996; élève du lycée français Saint-Exupéry,
elle rejoindra bac en poche l'Ecole internationale de
Ouagadougou pour y suivre un cursus universitaire
américain et vit aujourd'hui aux Etats-Unis.

Marraine de la campagne nationale de vaccination
contre la polio – ce qui lui valut de recevoir en juin
2012 l'insigne Paul Harris Fellow, plus haute distinction du Rotary Club International –, Chantal fut
aussi celle de la croisade en faveur de la prévention
du cancer du col de l'utérus; ou encore, à compter
du juin 2013, celle de Giving Back, ONG réunissant
artistes et basketteurs de haut niveau mobilisés sur le
front du paludisme. Lorsqu'elle reçoit, en juin 2012,
le ministre britannique du Développement international, c'est pour évoquer le contrôle des naissances
et l'impact sur l'enfance de la crise alimentaire qui
accable le Sahel. Sans désemparer, la Première Dame
inaugure alors garderies, écoles, points d'eau, moulins villageois, distribue des charrues aux paysannes
pauvres et des « moto-ambulances » dans des contrées
enclavées. En mars 2011, « Chantou » a ainsi coupé le
ruban de la Maison de Fati, vouée à l'accueil d'enfants
atteints par le noma, ou *cancrus oris*, cette stomatite
foudroyante qui saccage la bouche et le visage. Et ce
en compagnie de l'ex-garde des Sceaux de Nicolas
Sarkozy, Rachida Dati, députée européenne et maire
du VIIᵉ arrondissement de Paris.

## Le bémol américain

Tutrice honorifique de la Croix-Rouge burkinabé, la compagne du Beau Blaise tenait aussi son rang sur le damier continental. Associée au programme « Vision 2015 » des Premières Dames contre la mortalité maternelle, néonatale et infantile comme aux travaux épisodiques de leur Mission pour la Paix, elle est demeurée longtemps présidente d'honneur de Synergies africaines contre le sida et les souffrances, le « syndicat » de *First Ladies* créé par la Camerounaise Chantal Biya. Une convention portant sur le suivi des mères séropositives et les tests de dépistage unit au demeurant depuis 2002 leurs fondations respectives. Si, de l'avis d'un initié, une « réelle complicité » rapproche les deux Chantal, le tandem formé avec Dominique Ouattara a favorisé la coopération ivoiro-burkinabé, notamment dans le domaine de la lutte contre la traite transfrontalière des mineurs, condamnés au mépris de la loi à trimer dans les plantations de coton ou les mines d'or.

Qui l'eût cru? Le courant passait beaucoup moins bien avec Simone Gbagbo. En octobre 2008, quand Tantie Chantou invite son homologue d'alors à une conférence sur l'excision, la virago d'Abidjan se dérobe, invoquant un engagement antérieur. Interrogée l'année suivante par fratmat.info, l'hôtesse éconduite refusera toutefois de « porter un jugement » sur la redoutable Ivoirienne. En janvier 2013, c'est au côté de Mintou Traoré, épouse du président par intérim d'un Mali déchiré par l'offensive djihadiste, que la métisse de Kosyam parcourt les camps de réfugiés maliens de Pabré, au nord de Ouaga, leur promettant de l'eau potable, une école et – son dada à essence – une moto-ambulance.

La bataille contre le VIH, mentionnée ci-dessus, se livre aussi à domicile : Chantal de Ouaga a clos en juillet 2012 à Koudougou (centre-ouest) une campagne de prévention de la transmission mère-enfant lancée huit mois plus tôt. Dans la vulgate officielle, il est d'usage à l'époque de saluer « l'abnégation de cette Première Dame qui se donne corps et âme pour le bien-être des plus démunis », « avocate infatigable de la femme et de l'enfant ». Dont acte. Reste que les ONG locales et la société civile dénoncent volontiers les travers d'un dispositif arrimé par nature à un système de gouvernance ô combien contestable. A sa manière, l'ambassade des Etats-Unis dessinait en mai 2008 dans une note confidentielle les limites de cet activisme : « L'analphabétisme, la persistance d'attitudes sociales et culturelles négatives envers les femmes et une abjecte pauvreté entravent l'émergence d'un *leadership* féminin économique et politique. » Intransigeance depuis lors passée de mode ? Six ans plus tard, Chantal Compaoré-Terrasson de Fougères sera la seule francophone conviée au forum de *First Ladies* mis en scène en juillet 2013 par l'Institut George W. Bush, en marge de la visite en Tanzanie de Barack Obama.

## Le cas Suka

A ce stade, le lecteur attentif, désormais familier du trousseau des reines d'Afrique, s'attend à découvrir la version locale de l'inévitable « FDM », la fondation de Madame. Et il n'a pas tort. Rebaptisée Suka en 1996, l'Association burkinabé pour la protection de l'enfance a vu le jour dès 1989. Sur son site bilingue franco-anglais, sa présidente-fondatrice lui assignait la mission de « jouer sa partition dans le concert des organisations philanthropiques », notamment au profit des « déchets authentiques » (*sic*) que sont les mineurs défavorisés. Philanthropie à géométrie variable. Fleuron de l'institution, la clinique El-Fateh de Ouagadougou est en fait, à en juger par son site Internet, un « établissement médico-chirurgical privé », donc payant, construit avec le concours de la Libye de Muammar Kadhafi. Parrain prodigue du régime Compaoré, le défunt Guide couvrit Chantal de cadeaux à la naissance de sa fille, gratifiant notamment le bébé d'une Mercedes. Non, pas une voiture à pédales, une vraie... Autre généreux bienfaiteur, Son Altesse Royale Al-Walid bin Talal bin Abdulaziz al-Saoud d'Arabie saoudite, qui a légué son nom et bien davantage au Village d'Enfants de Ziniaré, fief de Blaise. Inauguré en mars 2011 par son épouse, la princesse Amira al-Tawil, hôtesse pour l'occasion de Chantal, ce centre d'accueil a vocation à héberger 150 orphelins ou gamins abandonnés. La fondation Suka pouvait enfin tabler sur les largesses en dollars de Taïwan. Munificence très politique : au grand dépit de la très puissante Chine populaire, Ouagadougou demeure l'une des dernières capitales africaines à reconnaître l'île rebelle. En décembre 2011, Chantal Compaoré fut reçue à Taipei par le président Ma Ying-Jeou et par son ministre des Affaires étrangères. Au menu de sa « visite d'amitié et de travail », la pépinière d'orchidées de Yilan et le Centre national des arts traditionnels, mais aussi et surtout un renforcement de la coopération avec le partenaire taïwanais, dont témoignera l'envoi de missions sanitaires appelées à traiter les séquelles de l'excision, les fistules obstétricales et les ravages du noma, fléau évoqué plus haut. Huit mois plus tard, « l'ambassade de Chine Taïwan » à Ouaga remettra à la Première Dame en exercice 82 millions de francs CFA – soit près de 50 000 euros – d'équipements médicaux, assortis d'un groupe électrogène.

Dans sa quête d'argent frais, Chantou aura elle aussi sacrifié aux mondanités hippiques du Grand Prix de l'amitié France-Afrique du PMU, rituel tombé en désuétude. Le 11 mai 2000, la soirée de gala de la fondation Suka réunit au pavillon Dauphine une brochette de VIP. Dont Anne-Aymone Giscard d'Estaing, les anciens ministres Jacques Godfrain et Charles Millon ou la star indocile de France Télévisions Claude Sérillon, grand ami des Compaoré et futur mais éphémère conseiller en communication de François Hollande[10]. Tout aussi instructif, le *casting* des comités d'honneur et de soutien de la fiesta. Dans le premier figuraient Hervé Bourges, l'ancien secrétaire général de l'Onu Boutros Boutros-Ghali, Marc Gentilini, alors président de la Croix-Rouge française, Danielle Ben Yahmed, épouse du fondateur de *Jeune Afrique*, ainsi que la future icône de l'indignation universelle Stéphane Hessel, proche du Beau Blaise et avocat de sa « rectification » post-Sankara. Dans le second apparaissent la furie kadhafiste Calixte Beyala, le journa-

10. *La Lettre du Continent*, 11 mai et 25 mai 2000.

liste de télévision Jean-Luc Mano, maestro du *media training* pour potentats africains, ou sa consœur Catherine Ceylac, compagne de Sérillon. Au rayon des sauteries parisiennes, la chronique retiendra aussi, à la date du 5 décembre 2006, ce dîner de l'Association d'amitié France-Burkina Faso, amicale présidée alors par Guy Penne, ancien conseiller Afrique de François Mitterrand, et dont Chantal fut l'invitée d'honneur. Autour de la table dressée ce soir-là dans un salon du Marriott-Saint-Jacques, l'amiral Pierre Lacoste, ex-patron de la DGSE, Charles Josselin, naguère ministre délégué à la Coopération de Lionel Jospin ou la vice-présidente du Sénat de l'époque Michèle André, par ailleurs – comme on se retrouve – figure de proue du groupe d'amitié France-Taïwan[11].

### Une reine dans l'arène

Bonne fée comme il se doit du fameux Fespaco – Festival panafricain du cinéma et de la télévision de Ouagadougou –, l'ex-demoiselle Terrasson secouait parfois le carcan protocolaire. En mai 2006, lors d'un concert donné au stade du 4-Août par son compatriote ivoirien Alpha Blondy – griot rasta pourtant peu tendre envers son époux –, ses gardes du corps interloqués la virent ainsi s'échapper de la tribune officielle pour descendre dans la fosse, le temps d'un « coupé-décalé » tendance reggae[12]. Au temps de sa splendeur, Chantal ne dédaignait pas arpenter

11. *La Lettre du Continent*, 21 décembre 2006.
12. *Le Journal du jeudi*, 1er août 2008.

d'autres estrades. Même si les chancelleries ne lui prêtent alors qu'une emprise politique limitée, il lui arrive de plonger dans la mêlée électorale, de semer dans son sillage sacs de vivres et de céréales, voire de houspiller cadres et militants du Congrès pour la démocratie et le progrès (CDP). Tel fut le cas à la veille des « élections couplées » – législatives et municipales – du 2 décembre 2012. Deux semaines avant l'échéance, à la faveur d'une visite au siège de campagne du même CDP, elle asséna aux camarades un cours de stratégie, les sommant de redoubler d'ardeur et d'occuper l'espace et le terrain, entre affichage massif et « boucan studieux ». Au détour de meetings provinciaux, on l'entendit aussi enjoindre aux électeurs de « consolider les acquis engrangés en renouvelant leur confiance au CDP ». C'est que « Madame Lapin » sait à l'occasion se montrer rugueuse. Quitte à sermonner, comme elle le fit en janvier 2012 à Bobo-Dioulasso, les « récalcitrantes » coupables de bouder le nouveau marché de fruits et légumes et de « gâter » son nom en invoquant indûment son soutien...

Nul doute qu'elle aurait volontiers infligé un traitement comparable aux stratèges de la fronde déclenchée en janvier 2014 dans les hautes sphères du parti présidentiel. Emmenés par Salif Diallo, hier éminence grise de Blaise, Roch Marc Christian Kaboré, ex-président de l'Assemblée nationale et futur chef d'Etat élu, et Simon Compaoré, ancien maire de Ouaga, les « félons » réprouvent le projet de réforme, par voie parlementaire ou référendaire, de l'article 37 de la Constitution. Réforme qui aurait permis au sortant, fragilisé par l'implacable loi de l'usure du pouvoir, de briguer en novembre 2015 un troisième mandat. Reflet d'un entêtement suicidaire, cet artifice précipitera sa chute, le 31 octobre 2014, puis son exil forcé...

Magnifiées par les médias d'Etat, les excursions de Chantal et de sa suite ne fascinent guère la presse indépendante. Pour preuve, le récit, paru en mars 2003 dans *L'Evénement*, de cette escapade à Fada (nord-est), à l'occasion de la Journée internationale de la Femme. Il y est question du hiatus palpable entre les Ouagalaises pomponnées acheminées à bord de 4 × 4 climatisées et les paysannes du cru, déboussolées par les discours en français. De cette journée, conclut l'auteur, « il ne reste que de vagues souvenirs de faste, de carburant brûlé et de belles paroles un peu vides[13] ».

Œuvre d'un ambassadeur, la formule mériterait de figurer dans une anthologie de la litote : « On ne peut pas dire que la Première Dame du Faso évolue hors du champ des affaires. » On ne le dira donc pas, ni ne l'écrira. Car tous les témoignages concordent : Chantal appartient à la tribu des *businesswomen* discrètes, attentives à se tenir dans l'ombre. « Je la vois comme une femme intelligente, habile, tête pensante du pré carré patrimonial de la famille, complète un autre diplomate, très au fait du système Compaoré. Certains contrats aboutissaient grâce à elle. Quant à ses connexions ivoiriennes, elles pouvaient aussi s'avérer précieuses sur ce terrain-là. » Secteurs de prédilection présumés : l'or, l'immobilier, l'import-export, voire la

---

13. *L'Evénement* du 26 mars 2003 ; reportage cité dans Adjo Saabie, *Epouses et concubines de chefs d'Etat africains*, *op. cit.*

manutention portuaire *via* l'un des opérateurs du port
guinéen de Conakry. Lors de la campagne présidentielle de 2005, le modeste parti communiste burkinabé accusa même Madame d'avoir raflé le marché
des gadgets électoraux…

## Le cuir et la pierre

Dans son entourage gravitaient quelques cadors
de l'économie nationale, dont Alizèta Ouédraogo,
naguère femme d'affaires numéro 1 du pays. Elue
le 19 août 2013 à la présidence de la Chambre de
commerce et d'industrie du Faso, celle que l'on surnomme Gando – le cuir – règna sur un empire qui
s'étendait de la maroquinerie à l'immobilier, *via* le
BTP. Si elle avait les faveurs du palais de Kosyam,
Alizèta les devait aussi à la magie matrimoniale, sa
fille Salah ayant épousé François Compaoré, frère
cadet et conseiller du « Blaiso ». Ce qui ne gâtait
rien, et valait en outre à l'influente *businesswoman*
le sobriquet de « belle-mère nationale[14] ». Autres
opérateurs en cour avant la débâcle, les Libanais
Zouhair Michel Fadoul et Nasser Basma, patron du
groupe Mégamonde, actif dans la distribution des

14. *Jeune Afrique* du 15 septembre 2013. Compaoré entraî-
nera Alizèta dans sa chute. « J'ai tout perdu », confie celle-ci à
*Jeune Afrique* en novembre 2014. Avant d'énumérer les biens
pillés et incendiés : deux tanneries, une carrière de granulats
routiers, une unité d'enrobage, une autre de concassage,
ainsi que le siège de sa société immobilière Azimmo. Un
temps exilée en France, « Gando » s'est elle aussi installée
à Abidjan.

deux-roues. Quoique endetté, ce dernier avait activé ses réseaux à l'été 2011 afin de mettre sur pied une rencontre entre Chantal et un trio de pontes de la banque russe Gazprombank, désireuse d'investir dans l'énergie, l'or et le manganèse[15]. Selon un analyste local, la *First Lady* cultivait en outre avec son beau-frère François Compaoré des intérêts communs dans l'univers de la pierre. Sur ce registre, elle aurait cédé en 1998 au fils du défunt leader rebelle angolais Jonas Savimbi, prénommé Ernesto, une demeure cossue censée abriter le siège social d'une holding de négoce de métaux précieux[16]. Le patrimoine en dur de Madame s'étend très au-delà des frontières du pays des Hommes intègres et des Femmes avisées. Certes, sa villa d'Abidjan fut dévastée et pillée en novembre 2002 par un gang de miliciens loyaux au président Laurent Gbagbo, que menaçait alors l'insurrection nordiste. En revanche, l'enquête menée par l'Office central de répression de la grande délinquance financière (OCRGDF) au royaume des « biens mal acquis » établit que Chantal, assujettie en France à l'impôt sur la fortune, détient à titre personnel deux résidences dans le XVIe arrondissement de Paris, dont un 140 mètres carrés avenue Mozart, où elle séjourne fréquemment depuis l'abrupt épilogue de l'automne 2014. Autre point de chute hexagonal, le domaine de La Celle-Saint-Cloud (Yvelines) lui est depuis lors inaccessible, puisqu'il relève du patrimoine de l'Etat burkinabé.

---

15. *La Lettre du Continent*, 6 octobre 2011.
16. *La Lettre du Continent*, 19 novembre 1998.

« Un couple intellectuellement cohérent. » Voilà comment cet ancien Monsieur Afrique de l'Elysée dépeint le duo Compaoré. Intellectuellement, soit. Pour le reste... Séducteur insatiable, voire compulsif, le Beau Blaise n'incarne pas vraiment le mari idéal, loyal et prévenant. Dans un câble daté du 9 avril 2008, classifié « secret » mais dévoilé par WikiLeaks, l'ambassadrice américaine de l'époque, Jeanine Jackson, estime que le président du Faso de l'époque « peut avoir contracté le VIH/sida », rançon d'années de « promiscuité sexuelle ». En partie inspiré par une conversation avec le diplomate français Xavier Brun, alors chargé d'affaires à Ouaga, le télégramme évoque les appétits charnels de l'intéressé, adepte, lit-on dans le texte, du « droit de cuissage », et relaie la rumeur lui prêtant maintes liaisons, dont une avec « la femme d'au moins un de ses ministres ». Si elle impute ce comportement à une « conception monarchique du pouvoir », la note de la *US Embassy* fait écho à d'autres on-dit rapportés par le collègue *Frenchie*. Ainsi, Blaise le Tombeur aurait-il molesté son épouse, suspectée d'infidélité. « J'ignore tout de cet épisode hypothétique, nuance aujourd'hui un vieux routier des mystères ouagalais. Mais j'ai beaucoup de mal à imaginer Chantal en victime. » Dans son diagnostic, la diplomate d'outre-Atlantique hasardait cette conclusion : c'est au nom de la raison d'Etat que M. Carpe et Mme Lapin perpétuent « un mariage protocolaire ». La boucle serait donc bouclée : forgée jadis au feu d'une stratégie matrimoniale dictée par Houphouët, l'alliance résisterait au temps en vertu – si l'on ose écrire – d'un pacte politico-domestique. Au temps et aux épreuves. Dont la perte brutale d'un pouvoir absolu et son corollaire, l'exil, si doré soit-il. Après un bref séjour à Casablanca, Blaise et Chantal, accueillis chaleureusement par Alassane Ouattara, ont pris leurs quartiers en Côte d'Ivoire. D'abord à l'hôtel Président de Yamoussoukro, havre à la quiétude déprimante pour Madame, puis, depuis la mi-février 2015, à Abidjan. Leur maison du quartier des Deux-Plateaux ? Non : une résidence d'Etat de l'enclave huppée de Cocody Ambassade. Autre manière, pour Chantou de boucler la boucle. Retour à la case Ivoire pour la native du pays des Eléphants.

# Antoinette Sassou-Nguesso

## et les braises de Brazza

Ce fut à l'évidence la fiesta de trop. Jamais Antoinette Sassou-Nguesso n'aurait dû, en mai 2013, fêter ses 70 printemps à Saint-Tropez, temple de l'esbroufe. Jamais la Première Dame du Congo-Brazzaville n'aurait dû convier à cette bringue plaquée or en terre de France 150 à 200 privilégiés, parents, amis, hommes d'affaires, noceurs et pique-assiette mêlés. En d'autres circonstances, la sauterie n'aurait ému que les initiés, déchaînant la verve incandescente des opposants de la blogosphère, qu'ils ferraillent au pays ou en exil. Quant au Congolais lambda, il s'en serait tenu à la pieuse version officielle, selon laquelle « Maman Antou » – ou Anto, c'est selon –, cette « grande dame au cœur de mère, sensible et magnanime », avait fêté l'événement « dans la prière » et au côté de son époux Denis, en la basilique Sainte-Anne-du-Congo ; avant de « marquer ce jour mémorable par une visite des orphelinats, histoire de « montrer son amour sincère des défavorisés ».

Tout juste les mieux tuyautés auraient-ils eu vent de la réception réservée au millier de privilégiés venus jouer des coudes sous les tentes plantées sur les pelouses du palais présidentiel de Mpila.

Mais voilà : les caméras fouineuses du Petit Journal de Yann Barthès, le trublion de Canal+, ont élevé le *happening* privé au rang de scandale national et politique. Il faut dire que l'élégante héroïne de l'excursion azuréenne n'avait pas mégoté. Sous son en-tête solennel – Présidence de la République/Cabinet de l'épouse du chef de l'Etat/Division du Protocole –, le « programme relatif aux activités liées à l'anniversaire de Madame Antoinette Sassou-Nguesso, du mercredi 8 mai au dimanche 12 mai », laisse songeur. Deux vols, l'un d'Air France, l'autre de la compagnie Ecair, ont acheminé de Brazza à Paris la plupart des invités, rejoints par les compagnons de bamboche venus des Etats-Unis ou d'Europe. Le lendemain, la troupe ralliait Nice, par les airs ou par la route. De la baie des Anges, « transfert vers Saint-Tropez en yacht, avec déjeuner sur l'eau », puis installation à l'hôtel et – les voyages, ça creuse – nouvelle collation les pieds dans l'onde. *Bis repetita placent*… Sur place, nulle option camping. Antoinette a logé à l'Hôtel de Paris, un cinq-étoiles pourvu d'une suite Dolce Vita à 1 000 euros la nuitée, le gros du peloton se voyant relégué dans un palace de Gassin.

## Yes, we Cannes

Point d'orgue des réjouissances, la soirée du samedi 11 mai. Rendez-vous d'abord aux Moulins de Ramatuelle, théâtre d'ordinaire des « tenues blanches » si chères au défunt Eddie Barclay, mais que hante aussi, désormais, les parvenus de la nomenklatura russe. Nous voilà très loin des « maquis » – gargotes – des bas quartiers de Brazzaville ou de Pointe-Noire, à en juger par le descriptif flatteur du site de cette maison, « mi-bastide mi-auberge, lovée dans un écrin de verdure, idéalement située à mi-chemin entre les plages de Pampelonne et le port de Saint-Tropez ». Spécialités du chef Claude Roy : la galette de pigeonneau « croustillante à souhait », le *King Crab* et le homard. Lorsque, sur fond de ballet d'autocars, l'équipe du Petit Journal tente de cueillir à la volée, entre les vigiles à oreillette, les impressions d'une femme d'âge mûr, une voix s'élève : « Mamie, non ! Ne répondez pas ! » « Pas de caméra s'il vous plaît, implore de son côté une employée des Moulins. J'ai des instructions ultra-précises. » La bande des commensaux en goguette aussi : en l'occurrence, mettre le cap, dès après le pousse-café, sur Les Caves du Roy de l'hôtel Byblos, où le « DJ résident Jack-E » officie aux platines, emmenant « jusqu'au petit matin les *night-clubbers* avertis comme les *newcomers* éblouis au son de ses mixes ». Déjà, la veille, raconte le reporter du quotidien *Nice-Matin* Yoann Terrasse, une poignée d'éclaireurs avait testé le carré VIP de la boîte et le champagne millésimé à un millier d'euros la bouteille[1].

En ce printemps pourri, les organisateurs de la virée, prévenants, ont conseillé aux protégés de Madame d'emporter des vêtements chauds, eu égard

---

1. Entretien avec l'auteur, 28 mai 2013.

au « temps très variable régnant sur la France ». Ils auraient pu dans la foulée leur suggérer de se munir d'un portefeuille au cuir robuste. C'est que, de l'aveu même de plusieurs jeunes fêtards interrogés par Canal, chacun a eu droit en prime à son enveloppe de cash en euros. « Si les petits – entendez les benjamins – ont 10 000, nous on a trois fois plus, claironne l'un d'eux. On est bien, on est très très bien ! » « On va dépenser plus que ça. On est chaud », renchérit un autre « sapeur ». A l'arrière d'une Mercedes, deux « cousines » de la toute jeune septuagénaire avouent leur ferme intention de « claquer de la thune ». Vantardise ? Probable. Reste que, selon des sources convergentes, le barème de cette « java clanique » serait *a minima* le suivant : 1 200 euros pour le tout-venant ; 10 000 pour les officiels. Tarifs crédibles au regard de la razzia lancée sur les boutiques de luxe de Saint-Trop' le dimanche matin, ultime distraction avant un retour sur Paris qu'annonce la ronde des Rolls-Royce[2]. Ne pas oublier pour autant la photo-souvenir sur le seuil de la mythique gendarmerie du lieu, épicentre des clowneries du maréchal des logis-chef Ludovic Cruchot, incarné en 1964 à l'écran par Louis de Funès, et de sa bande de benêts en uniforme. Le cinéma n'est jamais loin : « Si la Première Dame a choisi la Côte d'Azur, affirme un confident du "Cobra Royal", surnom un rien narquois du chef de l'Etat, c'est qu'un malfrat lui avait promis la montée des marches du Festival de Cannes tout proche. »

---

2. *Nice-Matin* et *Var-Matin* 13 mai 2013.

*Tout ce qui brille*

Coût total estimé des réjouissances à la sauce Saint-Trop' : un million d'euros. Série B comme Brazza, certes, mais pas vraiment film d'auteur à petit budget… Qui a réglé la facture ? L'Etat congolais, accuse l'opposition. Pas si simple : tout porte à croire que d'obligeants mécènes, *businessmen* congolais ou étrangers désireux de s'attirer les bonnes grâces de la Première Dame, ont contribué au financement de l'escapade. Sans doute plusieurs de ces bienfaiteurs figurent-ils dans la liste des invités-VIP, cadors de l'import-export, banquiers, pétroliers, avocats ou lobbyistes, dévoilée par *La Lettre du Continent*[3]. Rien que du beau linge brodé au fil d'argent.

Grandiloquente et alambiquée, la mise au point diffusée dès le 15 mai par un certain Michel Mongo, secrétaire général de Congo-Assistance – la fondation d'Antoinette –, fait allusion à la gratitude « d'amis venus d'horizons divers » envers « une Dame de grand cœur ». « Est-ce qu'il serait surprenant que ces amis-là lui offre [*sic*] à un cap important de sa vie une belle cérémonie d'anniversaire sur leur [re-*sic*] deniers personnels ? » Pour le reste, ce démenti burlesque ravale le programme des festivités évoqué ici au rang de « faux grossier » et flétrit avec une légèreté soviétique une « odieuse » campagne de manipulation de l'opinion. « Des sites Internet au professionnalisme douteux, lit-on ensuite, relayés de façon quasi pavlovienne par une certaine presse en

---

3. *La Lettre du Continent*, 22 mai 2013.

mal de sensationnel, profitant d'un événement tout ce qu'il y a de plus privé, procèdent à des amalgames nauséabonds. » En clair, tout est vrai.

L'équipée méditerranéenne laissera des traces. Car elle ternit un peu plus, au grand dam de l'époux d'Antou, Denis Sassou-Nguesso, *alias* « DSN », l'image d'une camarilla familiale à bout de souffle, souvent épinglée pour ses travers prébendiers et sa gestion clientéliste de la rente pétrolière. « Le président est furieux, assurait un mois après les faits l'un de ses proches. Preuve de cette colère noire, il a interdit à sa femme de rentrer au pays avant que reflue l'onde de choc déclenchée par l'affaire. » D'autres membres du clan se sont empressés d'accabler Antoinette de griefs. « Tu as sali notre nom ! » lui aurait ainsi asséné l'un de ses beaux-fils, l'arrogant Wemba, né de l'union entre Sassou et une autre compagne, aujourd'hui décédée.

Autant dire que le psychodrame a meurtri l'intéressée. Au point de l'inciter à rester recluse plusieurs jours durant dans ses appartements cossus de l'avenue Rapp, dans le VIIe arrondissement de Paris ; et à ordonner au personnel d'éconduire les visiteurs qui, d'ordinaire, défilent en son refuge parisien. Retraite dont elle ne sortira que pour subir des examens médicaux à l'Hôpital américain de Neuilly, puis s'attarder à Bobigny (Seine-Saint-Denis), théâtre de la soirée de mariage d'un parent. « Antou s'est sentie trahie par ses convives et leur manque de retenue, raconte un témoin. "Comment ? disait-elle. J'essaie de faire plaisir à tous ces gens, et ils étalent tout en place publique ou me balancent dans les médias…" » Candeur, inconscience ? Dans l'entourage de son mari,

la complainte de la générosité flouée suscite plus
de soupirs exaspérés que de compassion. Florilège :
« Antoinette a toujours adoré les bijoux. Usée par ses
déconvenues personnelles, elle s'est repliée sur les
joailleries de la place Vendôme »; « Elle aime trop
tout ce qui brille et vit dans sa bulle, déconnectée des
réalités. » « Déjà, quand j'étais à l'Elysée, se souvient
Michel de Bonnecorse, conseiller Afrique de Jacques
Chirac de 2002 à 2007, Mme Sassou disposait d'une
dotation mensuelle de 500 000 francs – soit plus de
75 000 euros – pour ses menus achats. Avec rallonge
en cas de besoin[4]. »


## Haro sur la marâtre

Si elle jouit ô combien des attributs de sa fonction,
Antoinette n'aura jamais vraiment réussi à se déles-
ter de la tunique de l'outsider. Au mieux tolérée, le
plus souvent tenue à l'écart, isolée, voire ouverte-
ment défiée par le clan *mbochi* de son mari, elle la
Vili de Pointe-Noire[5]. Epouse certes, mais pas vraiment *Ngouli* (mère). Des enfants, on le verra, elle en
a eus; mais aucun né des œuvres du chef de l'Etat,
papa par ailleurs prolifique. « Là est son drame et sa

---

4. Entretien avec l'auteur, 18 octobre 2012.
5. Les groupes ethniques mbochi et vili appartiennent
l'un et l'autre à la matrice bantoue. Les Mbochis – 11,5 % de
la population du Congo-Brazzaville – sont notamment établis
dans la région d'Oyo, fief du clan Sassou-Nguesso ; tandis
que les Vilis sont implantés dans le secteur de Pointe-Noire,
mais aussi dans le sud-ouest du Gabon et en République
démocratique du Congo, l'ex-Zaïre.

grande faiblesse », souligne une familière du palais présidentiel de Mpila. Il y a pire : pour la descendance de Denis, à commencer par Edith-Lucie, l'aînée adorée décédée en mars 2009, Antou n'aura été au fond que la marâtre illégitime qui obtint l'éviction de leur maman. De même, comment « l'intruse » aurait-elle pu s'entendre avec sa belle-fille Claudia, dite Coco, influente conseillère de papa et fruit de la liaison de celui-ci avec sa meilleure amie, zaïroise d'origine ? « Au début des années 2000, avance une de ses intimes, la tension était telle qu'il est sans doute arrivé à Antoinette de songer au divorce. »

« Crêpage de chignons entre coquettes », ironise un conseiller élyséen de l'ère Nicolas Sarkozy. De fait, au sein du gynécée du palais, on s'écharpait volontiers à coups de collier et de carats. Sur ce registre, l'éditorialiste Jean-Baptiste Placca garde en mémoire une scène vécue en marge d'une cérémonie au palais du Peuple de Brazzaville. « Ce jour-là, raconte-t-il, Edith-Lucie arborait une rivière de diamants plus imposante et plus étincelante que celle d'Antoinette, au grand dépit de celle-ci. Qui l'apostrophe en ces termes : "La Première Dame, c'est moi !" "Et alors, lui réplique l'autre. Tout le monde peut être Première Dame. Moi aussi[6]." » Pas faux : elle le deviendra, mais à Libreville, *via* son mariage avec le chef de l'Etat gabonais Omar Bongo Ondimba… « Cette union-là fut aussi un défi lancé à la belle-mère, poursuit Placca. Et pour Sassou, un vrai casse-tête : il aimait Antoinette et vénérait Edith-Lucie, la seule vraie femme de sa vie. » « Le

---

6. Entretien avec l'auteur, 9 octobre 2012.

titre ainsi conquis est monté à la tête de sa fille chérie, soupire un homme d'Etat ouest-africain. Laquelle, dès lors, n'a eu de cesse qu'elle piétinât Antou. » Loin de pacifier les relations – exécrables – entre les deux sauriens du marigot de l'Afrique centrale, Bongo le roué crocodile et Sassou le caïman vorace, le pacte matrimonial conclu par le « doyen » Omar et son cadet, dont il devient le gendre, les empoisonne davantage encore. La guérilla atteint son apogée lorsque Edith-Lucie succombe dans un hôpital marocain à un mal mystérieux. En privé, puis le jour même des obsèques, le clan Sassou accable un Bongo Senior effondré, coupable à ses yeux de n'avoir pas su sauver son épouse, sinon de l'avoir délaissée. Puis on se déchire sur le choix du site de l'inhumation – Congo ou Gabon ? –, qui aura finalement lieu à Edou, le fief natal de Denis. « Jamais, avouera un officiel gabonais de haut rang, je n'ai vu un chef d'Etat traité de la sorte. »

Famille, je vous hais… Intrigues, rivalités, coups bas, complots, alliances et mésalliances : à Brazza, jadis capitale de l'Afrique équatoriale française, les histoires de lignages, de mariages et de filiation hésitent entre Shakespeare, Marivaux, Courteline et la saga des Corleone. En la matière, jamais le Congo, ce fleuve majestueux, ne roulera des eaux tranquilles. D'autant que la succession du patriarche, vieillissant et lassé par les frasques, les caprices et les manœuvres de sa progéniture, affole la sarabande clanique et attise les feux de la haine.

## Le temps béni de Mouyondzi

Pour la petite Antoinette Tchibota Malonda, qui voit le jour le 7 mai 1943, l'avenir s'annonce pourtant sinon radieux, du moins serein. A un détail près : sa mère, la Ponténégrine[7] Marie-Louise Poto-Djembo, mieux connue sous le surnom de « Mama Poto », femme à poigne et commerçante aisée, mène pour l'essentiel ses affaires – notamment dans la boulangerie – à Kinshasa ; au point de passer pour proche du maréchal-président Mobutu Sese Seko. De là à considérer que la future Première Dame serait « moitié congolaise, moitié zaïroise »… Depuis le décès de la matriarche, en 2005, Antou franchit volontiers le fleuve, parfois flanquée de son époux, pour se recueillir et déposer une gerbe sur la tombe du cimetière kinois de la Gombe. Tel fut le cas en janvier 2012, au terme d'une pompeuse messe d'action de grâce célébrée en la cathédrale de « Kin » afin de commémorer « l'œuvre caritative et l'engagement social » de la défunte. En gage de gratitude, le couple fit à cette occasion don d'hosties, d'ornements liturgiques et de statues de la Vierge. Le tout, comme il se doit, sous l'œil des caméras de la télévision d'Etat.

Adolescente, la fierté de Mama Poto rallie l'Ecole normale d'institutrices de Mouyondzi, dans le département de la Bouenza. « Elle y est entrée l'année de ma sortie, raconte son amie de jeunesse Antoinette Badila, de trois ans son aînée. Nous avions le même prénom, des liens familiaux et nos mamans

---

7. Habitante de Pointe-Noire.

se connaissaient. Disons que j'étais un peu sa grande sœur. Depuis, Antou n'a jamais rompu avec ses condisciples d'alors, au point d'assister à la levée du corps de celles qui nous quittent. Avant la guerre civile de 1997, elle et Denis nous invitaient au palais. On y mangeait et on y dansait ensemble[8]. » Il va de soi qu'en septembre 2011, la présidente d'honneur de l'association « La Mouyondzienne », amicale d'anciennes, participera aux festivités du cinquantenaire de l'école. Au menu, saynètes comiques, cha-cha-cha, discours émus et promesse de forage d'un puits. « Affaiblie par un récent AVC, j'hésitais à m'y rendre, confie la copine du temps jadis, mais elle a tellement insisté… J'ai même eu droit à un transfert en hélico depuis Brazza. Sur place, Antoinette a reçu chacune cinq minutes en tête à tête, histoire de s'enquérir en toute simplicité de nos soucis. Et pas une n'est repartie sans sa petite enveloppe. C'était formidable. » Il est d'autres épisodes que la sœur d'élection n'oubliera jamais : lorsque, hospitalisée à Rennes, elle reçut la visite de la « Grande Dame », venue de Paris en voiture blindée à vitres fumées ; ou quand, à la mort de sa fille, Antou veilla sur les préparatifs des obsèques.

*Carte blanche pour Pointe-Noire*

Tout couple impérial a sa légende. Selon celle qui se narre à Brazza, le fringant officier Denis Sassou-Nguesso, raide dingue d'Antoinette, aurait enlevé la belle à la hussarde le jour même de son mariage avec

---

8. Entretien avec l'auteur, 16 octobre 2012.

le dénommé Kader Diawara, directeur de l'hôpital de Pointe-Noire et futur ambassadeur à Pékin. La réalité, telle que relatée par plusieurs témoins d'époque, se révèle moins chevaleresque. « En fait, corrige l'un d'eux, Tonton Kader avait entretenu une relation étroite avec la première épouse de Sassou, une sage-femme prénommée Claire, alors stagiaire dans son établissement. En mettant le grappin sur Antoinette, Denis lui a en quelque sorte rendu la monnaie de sa pièce. » Il faut dire que la jeune enseignante, enjouée et un rien frivole, ne manque pas de soupirants. Parmi eux, Stéphane Bongo-Nouarra, un futur Premier ministre du président Pascal Lissouba, l'ennemi juré de DSN. « Quand la voiture de Stéphane était garée devant chez elle, Kader et moi passions notre chemin », s'amuse un vieux copain de ce dernier.

A l'heure des épousailles, chacun a donc un riche passé peuplé d'enfants. Denis a les siens et en aura bien d'autres. Quant à Antoinette, elle a déjà donné naissance à deux bambins, fruits de son intense vie intime : Blandine, qui sera un temps sa directrice de cabinet, avant de rallier le bataillon des conseillers en com' du palais et de s'engager, à la demande de maman, dans la campagne électorale millésime 2016 ; et Chris, fils de Nouarra. A en croire un confident de Sassou, Antou fait alors le ménage pour asseoir le sien : « Elle lui avait mis le marché en mains : si tu veux rester avec moi, tu mets ta femme et ses enfants à la porte. » Et Cupidon, dans tout ça ? Il a joué sa partition. « Au-delà de ces péripéties, tranche le journaliste et chroniqueur Jean-Baptiste Placca, ce fut un vrai mariage d'amour. » Admettons. Idylle authentique donc, assortie d'une opération de géopolitique conjugale. Car en scellant cette alliance avec la fille de Pointe-Noire, l'ambitieux Sassou, issu de l'ethnie minoritaire mbochi, jette une précieuse passerelle avec le fief pétrolier rebelle du flanc ouest, travaillé par une tenace tentation irrédentiste. « La Première Dame avait pour mission de calmer ce front-là, résume Antoine Glaser, fondateur de *La Lettre du Continent*. Elle a d'ailleurs déployé ses réseaux familiaux quand menaçait le spectre de déchirures intercongolaises. Et il arrive que Denis la délègue aux funérailles d'un dignitaire ponténégrin[9]. » Un stratagème à l'efficacité aléatoire : le 20 mars 2016, le Cobra sortant, crédité de 60 % des suffrages dès le premier tour d'un scrutin-mascarade, décroche certes un nouveau septennat, mais essuie dans le bastion insoumis un cinglant revers. Les relais d'Antoinette lui auront néanmoins permis d'instaurer ou de maintenir le dialogue avec les rivaux les plus farouches de DSN, tels son prédécesseur Pascal Lissouba, chef de l'Etat de 1992 à 1998, ou l'éphémère Premier ministre Bernard Kolélas, décédé à Paris en novembre 2009, mais aussi de hâter le retour en terre congolaise d'opposants exilés ou de jouer les médiatrices. « Mon mari n'est pas content du tien, lâche-t-elle un jour à sa complice d'enfance Antoinette, épouse du dissident Joseph Badila. Il faut que nos deux hommes se voient et se parlent. »

Déjà, aux heures les plus sombres de la décennie 1990, la plus célèbre des Mouyondziennes fut pour Sassou, vaincu et contraint à l'exil, un soutien précieux. « Que ce soit avenue Rapp ou dans la maison du Vésinet [Yvelines], rapporte le chiraquien Jean-François Probst, alors familier du couple, elle

_____

9. Entretien avec l'auteur, 2 octobre 2012.

s'évertuait à apaiser Denis, à canaliser son dépit et ses déprimes. Mais Antou côtoyait aussi la diaspora congolaise du Paris populaire et de la banlieue. Et c'est elle qui rentrera au pays en éclaireuse[10]. » Juste renvoi d'ascenseur ? Madame conquiert le droit de pousser quelques pions sur l'échiquier brazzavillois. « Elle a son quota de ministres et place çà et là ses "petits", explique une amie. Et n'oubliez pas que son cabinet est logé dans l'enceinte de la présidence, où tout le monde rampe et tremble. » Neveu du président et ponte du renseignement, le sécurocrate Jean Dominique Okemba doit en partie sa longévité à la bienveillance d'Antoinette. Cela posé, l'onction de Madame ne suffit pas toujours au bonheur de ses poulains. En son jardin de Pointe-Noire, lors des législatives de juillet 2012, son ancien directeur de cabinet, titulaire du maroquin de l'Education civique et de la Jeunesse, fut étrillé dès le premier tour par le fils du défunt maire de la ville[11]... Ce qui ne l'empêchera pas, lors des municipales programmées en 2014, d'adouber son propre champion, par ailleurs pilier du conseil d'administration de Congo-Assistance.

### Pour qui sonne le grelot ?

Au rayon des instruments d'influence, la compagne du « Nzoko » – éléphant en lingala –, autre surnom animalier de DSN, peut miser sur l'Association Maman

---

10. Entretien avec l'auteur, 3 octobre 2012. Jean-François Probst est décédé en juin 2014 d'un infractus.

11. *La Lettre du Continent*, 12 juillet 2012.

Antoinette Sassou, « bras politique de la Première Dame du Congo » doté d'une coordination nationale, de directions départementales, de bureaux de district et d'une antenne dans chaque arrondissement brazzavillois. C'est sous cet étendard que, durant la campagne présidentielle de 2009, l'illustre militante sillonna le département central de la Cuvette, semant dans son sillage moteurs de hors-bord et liasses de cash. « Un gouffre financier, alimenté par le budget de l'Etat », râle un opposant. Promis, on s'abstiendra d'ergoter sur l'acronyme fâcheusement prosaïque – Amas – de cet engin... D'autant que c'est au titre de présidente dudit engin que l'ex-demoiselle Tchibota se vit conférer la dignité de « marraine politique et financière » des festivités du 53ᵉ anniversaire de l'indépendance, célébrées le 15 août 2013 à Djambala, chef-lieu du département des Plateaux.

Autre outil ultraclassique de la panoplie : la fondation. Lancée dès mai 1984 et baptisée Congo-Assistance, pourvue d'un bureau parisien logé rue de l'Université, celle d'Antou s'assigne pour mission d'agir dans les domaines de la santé, du développement, de l'éducation et de la formation professionnelle. Vaste programme. Car l'ouvrage ne manque pas : selon les palmarès planétaires, il n'est pas de pire endroit au monde que le Congo pour donner la vie. Mais il est vrai que le royaume de Sassou figure aussi en queue de peloton dans les classements annuels de « climat des affaires » ou d'« indice de perception de la corruption ». De même, Antoinette avait quelque raison d'accueillir en février 2008 à Brazzaville une dizaine de ses homologues à la tribune de la 6ᵉ conférence de la Mission de paix des Premières

Dames d'Afrique (Mipreda) : le pays panse encore les blessures des conflits fratricides qui l'endeuillèrent à la fin du siècle dernier. Deux ans plus tôt, le Fonds mondial de lutte contre le sida, la tuberculose et le paludisme avait octroyé 45 millions de dollars au Congo-Brazza afin de l'aider à étendre le dispositif de prévention et de prise en charge des malades affectés par le VIH. Signataire de l'accord de financement, la Dame de Mpila somma ses compatriotes de gérer avec rigueur les fonds alloués, priant « les autorités politiques et administratives, civiles et militaires, les chefs coutumiers et les responsables des Eglises » de se muer en « guerriers » sur le champ de bataille de la pandémie. Figures de style maintes fois entendues, là encore.

En juin 2013, le site web de Congo-Assistance détaillait les chantiers que « l'abnégation et la générosité » d'Antoinette irradient de leurs bienfaits : couverture vaccinale, lutte contre la tuberculose, le paludisme et la transmission du sida de la mère à l'enfant, électrification d'un hospice de la capitale, don d'un scanner à l'hôpital militaire de Pointe-Noire, d'une ambulance et d'un lot de médicaments au centre hospitalier Ongogni, accès des femmes rurales à l'épargne et au microcrédit… Bref, la palette traditionnelle de l'humanitaire venu d'en haut. « Ne soyons pas trop sévères, nuance une institutrice retraitée native de Pointe-Noire. Aux yeux des filles mères, des mutilés, des gosses des rues ou des patients en mal de traitements, la Première Dame apparaît comme une figure maternelle plutôt populaire. »

« Maman Antoinette » a en outre contribué à sortir de l'ombre la drépanocytose – maladie génétique héréditaire –, désormais reconnue « priorité de santé publique » par l'Union africaine et l'Onu. Dès juin 2005, elle avait d'ailleurs réuni à la faveur d'états généraux chercheurs, médecins, décideurs et acteurs associatifs. « Mon époux, expliquait-elle alors, veut m'épauler dans tout ce que je fais. Mais du fait des nombreux dossiers qu'il doit suivre, il ne peut pas être à l'écoute de toutes les réalités du pays. Je suis donc là pour tirer la sonnette d'alarme quand c'est nécessaire[12]. » A propos de sonnette, Antou sait comme la plupart de ses consœurs faire tinter le grelot des nantis, congolais ou pas, appelés depuis des lustres à financer son œuvre à coups de soirées de gala. Les 11 et 12 mai 2001 vint ainsi son tour de vêtir la tenue, toque glamour et casaque chic, d'invitée d'honneur du Grand Prix de l'amitié France-Afrique du PMU, fantasia mondaine qu'accueillait en ce temps-là l'hippodrome de Vincennes. Au sein du très éclectique comité de parrainage, Michel Sardou et Line Renaud côtoyaient Hervé Bourges, les anciens ministres de la Coopération Jacques Godfrain et Michel Roussin ou Marc Gentilini, alors président de la Croix-Rouge française. « Mascarade, peste un ex-"sassouiste" en rupture de ban. Croyez-moi, les investisseurs étrangers, Français en tête, ont intérêt à cracher au bassinet. Et tant pis si l'orphelinat X et le dispensaire Y ne voient passer que 10 % de l'argent collecté. »

---

12. *Jeune Afrique*, 24 juillet 2005.

*Au plus haut des cieux*

Les opérateurs étrangers le savent bien : du *charity business* au *business* tout court, il n'y a parfois qu'un pas de rumba congolaise ou de « nzango moderne », cette discipline chorégraphiée chère à Antou, qui voit deux équipes se mesurer à coups de sautillements et de figures dansées. « Mieux vaut, lisait-on voilà peu dans *La Lettre du Continent*, connaître les membres du premier cercle familial de DSN, à commencer par son épouse, pour espérer un entretien rapide. » Si elle aime garnir ses coffrets à bijoux, Antoinette n'a pas investi que dans la pierre précieuse. Du vivant de « Mama Poto », mère et fille auraient racheté à vil prix une quarantaine de villas bâties pour le compte du chemin de fer Congo-Océan et une centaine de logements appartenant à une raffinerie pétrolière[13]. A Paris, la *First Lady* a le choix entre l'appartement de l'avenue Rapp et un neuf pièces de 300 mètres carrés, avenue Niel (XVIIe arrondissement), acquis par ses soins en 2007 pour 2,47 millions d'euros. Par ailleurs, 8 des 112 comptes bancaires de la galaxie Sassou répertoriés en France par l'Office central pour la répression de la grande délinquance financière (OCRGDF) ont été ouverts à son nom. En clair, dans l'affaire dite des « biens mal acquis », la planète Antoinette clignote elle aussi sur les écrans radars des limiers du parquet de Paris. Lequel a déclenché en juin 2007 une enquête consécutive à la plainte pour « recel de détournement d'argent public » déposée

---

13. *Le Gri-Gri international*, 11 novembre 2004.

par un trio d'ONG à l'encontre de trois chefs d'Etat subsahariens.

« Pauvre Antoinette… », soupire une amie des jours bénis de Mouyondzi, navrée de voir la copine d'antan « piégée » par les zizanies familiales et son attrait pour les richesses terrestres. Péché paradoxal s'agissant d'une femme qui affiche sa piété, quitte à godiller entre le catholicisme romain de son enfance, pèlerinages à Lourdes et à Rome compris, et les harangues envoûtantes des prêcheurs évangéliques des Eglises de Réveil. Deux nébuleuses spirituelles dont elle épie les tourments pour le compte de Monsieur. « *Nzambe a pambola bisso* », lisait-on à la fin du programme de l'escapade tropézienne évoquée en préambule de ce chapitre. Traduction : « Que Dieu nous bénisse ! » De fait, la tribu du palais de Mpila aurait bien besoin de la mansuétude du Très-Haut.

# Constancia Mangue de Obiang

## La « Madre » madrée de Malabo

Quoique rompu à la science de l'attente, le corps diplomatique s'impatiente. En ce 3 août 2011, voilà plus d'une heure qu'une cohorte d'ambassadeurs en poste à Malabo (Guinée équatoriale), trimballés en autocar depuis Bata, rongent dignement leur frein dans la touffeur de l'église de Micomeseng. C'est là, dans cette bourgade perdue voisine de la frontière camerounaise, que le président Teodoro Obiang Nguema Mbasogo a choisi cette fois de fêter l'anniversaire du *Golpe de Libertad*, ce « putsch de la liberté » qui, trente-deux ans plus tôt, lui permit d'évincer son oncle Francisco Macias Nguema et de s'emparer des rênes de l'ancienne colonie espagnole. Pourquoi diable tant d'atermoiements ? Mystère. N'y tenant plus, les Excellences délèguent auprès du protocole de la présidence un émissaire, aussitôt éconduit.

Soudain, miracle : la cérémonie œcuménique commence enfin. Las ! psaumes et prières seront bientôt

couverts par le vacarme assourdissant de l'hélicop-
tère qui vient se poser tout à côté ; et dont les pales
soulèvent un nuage de poussière ocre que les murs
ajourés de l'édifice peinent à tenir en respect. Bref,
il y en a pour tout le monde. Tandis que l'assistance
s'époussette, le retardataire tombé du ciel, chevelure
gominée et barbiche finement taillée, prend place
non loin du chœur comme si de rien n'était, saluant
à droite et à gauche avec une majesté d'empereur
romain. Tout le monde ici a reconnu Teodoro Junior,
*alias* Teodorin ou Teodorino, fils aîné du chef de l'Etat
et bambochard impénitent. Un ange passe, ce qui, en
un tel lieu, est dans la nature des choses. « Exaspéré
au plus haut point, Obiang serrait les dents à s'en
faire péter les mâchoires, raconte un témoin de cette
entrée théâtrale. En revanche, son épouse Constancia a adressé au fiston un sourire bienveillant et un
coucou complice[1]. »

### Merci qui ? Merci maman

C'est ainsi : la Première Dame équato-guinéenne
pardonne au flambeur de sang royal toutes ses
frasques[2]. « Elle le soutiendra quoi qu'il en coûte,
envers et contre tout, tranche un ancien ambassadeur.
Une mère juive à l'africaine. » Aussi influente au pays
que méconnue en Occident, la Mamma veille aussi

---

1. Entretien avec l'auteur, 9 octobre 2012.
2. Lire à ce propos l'étude publiée en novembre 2009
par l'ONG Global Witness (http://www.globalwitness.org)
et intitulée « The Secret Life of a Shopaholic ».

avec un soin jaloux sur la destinée politique de la chair de sa chair. Nul doute que Constancia Mangue de Obiang, native comme son époux de la région de Mongomo, a inspiré la réforme constitutionnelle ratifiée massivement par référendum en novembre 2011, ou à tout le moins l'article qui instaure une vice-présidence taillée sur mesure. Six mois plus tard, Teodorin, pourtant plus Malibu que Malabo, héritera de la dignité de « 2$^e$ vice-président – fonction non prévue par la nouvelle loi fondamentale – chargé de la Défense et de la Sécurité intérieure ». En attendant mieux ? Si incongrue soit-elle, l'hypothèse d'une dévolution dynastique du pouvoir fait son chemin. Outré par le « harcèlement judiciaire » que lui vaut la procédure des « biens mal acquis » engagée à Paris, tout comme par le mandat d'arrêt international – levé depuis lors par Interpol au nom de l'immunité conférée à tout haut dignitaire d'Etat – qu'ont émis au printemps 2012 les juges Roger Le Loire et René Grouman à l'encontre de l'improbable dauphin, Obiang l'aurait formulée ainsi en privé au printemps 2013 : « Que ça plaise aux Français ou pas, Teodorin me succédera. » Mais pas tout de suite : le sortant s'est octroyé le 24 avril 2016, à la faveur d'une mascarade électorale boudée par l'opposition, un énième mandat. Et c'est à Teodorin que le parti à sa dévotion avait confié la direction d'une campagne au demeurant superflue. Un indice de plus ? Le couple impérial cherche à caser honorablement l'héritier, 46 ans, jusqu'alors friand de rappeuses et de starlettes américaines.

Merci qui ? Merci maman. Il arrive toutefois que la mansuétude maternelle soit soumise à rude épreuve. La scène qui suit date du 1$^{er}$ mars 1998. Ce dimanche-là, Jacques Chirac prie son conseiller Jean-François Probst, loyal disciple du marabout blanc de la France gaulliste Jacques Foccart, de « traiter » Teodoro Obiang et les siens, en visite à Paris. « Tu peux me rendre un service ? lance le maître de l'Elysée. Emmène-le donc dîner. Et vas-y avec ta femme Laurence ; je sais qu'elle parle très bien l'espagnol. » Cap sur le Plaza-Athénée, le palace de l'avenue Montaigne où la délégation équato-guinéenne a pris ses quartiers. Dans sa suite, « El Presidente » s'apprête à accorder un entretien à une équipe de télévision française, quand des éclats de voix et des bris de verre parviennent de la pièce voisine. « Ah, je crois que mon fils se chamaille avec sa mère », glisse le *pater familias*, gêné, à son chaperon chiraquien. « En fait, raconte ce dernier, Teodorin venait de plier en deux une Ferrari ou une Lamborghini, et réclamait à sa mère un chèque pour s'acheter dans l'instant un autre bolide spécial jet-set. Elle a résisté un moment, mais a fini par céder[3]. » Une passion tenace : une douzaine d'années plus tard, la confiscation à Paris, sur ordre de la justice hexagonale, des joujoux vrombissants du sale gosse de riches aurait suffi à garnir les stands d'un salon de la bagnole de luxe : trois Bugatti Veyron, une Maserati MC12, deux Ferrari, une Rolls-Royce Phantom et une Maybach 62. Laquelle appartenait en fait à Constancia et n'était jusqu'alors que très rarement sortie du garage. « Comme toutes les emplettes de la mère et du fils, soupire un ancien ambassadeur de France, ces voitures transitaient hors douane *via* la plate-forme aéropor-

---

3. Entretiens avec l'auteur, 3 octobre 2012 et 15 juin 2013.

tuaire de Vatry (Marne). » Ce que confirme un conseiller de Teodorin[4].

Il ne sera pas dit que le garnement quadragénaire
pécha jamais par ingratitude. A Paris, au temps où
il pouvait encore héberger sa génitrice – propriétaire par ailleurs d'appartements privés boulevard
Lannes, non loin du bois de Boulogne – dans son
hôtel particulier du 42, avenue Foch, Teodorin lui
manifestait un admirable respect filial. « Quand la
Reine débarquait, raconte un témoin privilégié, il
se conduisait en fils modèle. Plus question de voir
débarquer en pleine nuit des Brésiliennes enclines à
se poudrer le nez. Et l'on planquait les accessoires
figurant d'ordinaire dans la panoplie du libertin. En
règle générale, lorsque la Madre parle ou tranche,
personne ne moufte. Chacun suit ses consignes à la
lettre. » Avocat d'affaires, administrateur de sociétés
et expert en investissements *offshore*, le Suisse Pierre-
André Wenger sait bien que seule Constancia détient
le pouvoir de tempérer les outrances de son ingé-
rable client Teodorin. « Si quelqu'un peut infléchir sa
stratégie, confie le collaborateur helvète, c'est elle. Il
lui suffirait de dire ceci : Mon fils, fais confiance à
Pierre[5]. » Message transmis.

Si elle œuvre avant tout au bien-être du fils prodigue, Constancia ne dédaigne pas pour autant le
reste de la progéniture. Un cadre de France Télécom

---

4. Entretien avec l'auteur, 19 juin 2013. La pratique
mentionnée ici figure dans un rapport de l'Office central
pour la répression de la grande délinquance financière
(OCRGDF), cité dans *Le Monde* du 9 juin 2011.

5. Entretien avec l'auteur, 19 juin 2013.

Orange l'a ainsi croisée en septembre 2007 dans les locaux de l'agence de Malabo où « travaillait » sa fille Almudena. « La Première Dame, raconte-t-il, m'a très aimablement prié de fournir à la jeune femme une vraie formation. » En fait de formation, l'héritière, aussi réservée que son aîné Teodorin se montre tapageur, recevra une promotion éclair. « Je l'ai rapatriée au siège et propulsée au poste d'assistante de direction, précise son mentor français. Bien sûr, Almudena ne bossait pas, mais au moins faisait-elle acte de présence. Tous les matins, un chauffeur la déposait au bureau. » De son unique rencontre avec l'épouse du chef, l'expatrié garde un autre souvenir : désireuse d'ouvrir une boutique de joaillerie haut de gamme, Constancia sollicita alors ses conseils.

### Reine et marraine

Tous les « Obiangologues » s'accordent sur un point : femme de pouvoir et femme d'affaires, Constancia, 62 ans – soit onze de plus que l'espérance de vie moyenne de ses compatriotes –, exerce sur son présidentiel mari un réel ascendant. « La vraie patronne, c'est elle, tranche un africaniste aguerri, vétéran du Quai d'Orsay. L'archétype de la manipulatrice, dotée d'une forte personnalité et d'une indéniable autorité naturelle. Si elle disparaît, le père et le fils ont du souci à se faire[6]. » Pour autant, la reine mère de la Guinée équatoriale, cet émirat pétrolier africain, mi-insulaire mi-continental,

6. Entretien avec l'auteur, 9 octobre 2012.

niché entre le Gabon et le Cameroun, demeure une énigme. La preuve ? Selon un ex-officier de renseignements français, elle appartient à une lignée plus prestigieuse que celle de son époux chez les Fangs du district de Mongomo, fief présidentiel frontalier du Gabon[7]. A l'inverse, une autre source la dit de caste inférieure, tandis qu'une troisième estime équivalente l'influence des deux clans... Au hasard des documents officiels, la « Primera Dama » apparaît sous divers patronymes : Constancia Obiang, Constancia Mangue de Obiang, Constancia Nsue Mangue, Constancia Mangue Nsue de Obiang ou encore Constancia Mangue Nsue Okomo, identité empruntée en partie à sa mère, que la rumeur dépeint parfois sous les traits de voyante attitrée du chef de l'Etat[8]. Au rayon des surnoms, un classique animalier : « Zé », ou panthère en langage fang. Le devrait-elle à sa démarche féline ? Pas sûr. Chez Constancia, nulle grâce particulière, et point de magnétisme glamour. Qu'elle arbore un boubou aux reflets moirés, un ensemble veste-chemisier-pantalon grenat, un tailleur afro moutarde, le T-shirt jaune et la casquette du Parti démocratique de Guinée équatoriale (PDGE) ou le maillot rouge du Nzalang, la sélection nationale de football, l'allure est bourgeoise

---

7. Le groupe ethnique fang, qui appartient à la nébuleuse bantoue, est également implanté au Cameroun et au Gabon. En Guinée équatoriale, il constitue environ 80 % de la population. Les Fangs de Mongomo fournissent la quasi-totalité des ministres, hauts fonctionnaires et officiers supérieurs du pays.

8. Voir Adjo Saabie, *Epouses et concubines de chefs d'Etat africains*, *op. cit.*

mais banale, sinon quelconque. Quoique enrichie par quelques séances de *shopping* aux Etats-Unis, sa garde-robe ne lui vaudrait qu'un accessit au palmarès de l'extravagance vestimentaire. En revanche, la mère supérieure nourrit, semble-t-il, pour le linge de maison une passion dévorante, au point de dévaliser en décembre 2015, sur fond de COP 21, la prestigieuse boutique Porthault, sise rue Boccador, à un jet de rond de serviette des Champs-Elysées.

Pour vivre heureux, vivons cachés. Méfiante, Constancia ne se livre guère dans les médias étrangers. Sinon, de loin en loin, le temps d'un insipide plaidoyer *pro domo*. Dans le genre, l'entretien « à cœur ouvert », révérencieux en diable, publié en mai 2006 par le magazine *Amina*, mérite une mention spéciale. « Son Excellence le président Obiang Nguema Mbasogo, assène Madame en préambule, est avant tout un époux, un père de famille et un grand homme d'Etat du monde contemporain. » Suit, au gré de questions aussi peu incisives que possible, un catalogue des nobles combats engagés par la compagne du demi-dieu : sida, santé, éducation, promotion de la femme, protection de la veuve et de l'orphelin, lutte contre la pauvreté. En la matière, le devoir d'équité commande de reconnaître que la Panthère a lutté très efficacement contre la sienne. Le magazine américain *Forbes*, qui s'y connaît, estime la fortune du couple Obiang supérieure à 400 millions d'euros.

Pour le moins succinctes, les biographies certifiées conformes diffusées sur le site web de la présidence de la République ou celui du Comité de soutien à l'enfant équato-guinéen (Canige), que l'intéressée fonda en 1985 et dirige depuis lors[9], précisent tout juste que Constancia vit le jour en 1952 à Angong, près de Mongomo, et qu'elle accomplit sa scolarité dans un établissement catholique tenu par des sœurs de sainte Thérèse de l'Enfant-Jésus. Elles nous apprennent en outre que, dans une vie antérieure, cette « Dame de cœur et Femme d'action », diplômée de l'Institut universitaire de formation au professorat Martin-Luther-King, dispensa son savoir à de futurs enseignants. Mais aussi qu'elle collectionne les titres : conseillère présidentielle pour la santé et le bien-être social, présidente du Comité national des droits de l'enfant, vice-présidente du Comité national de lutte contre le sida, présidente d'honneur de l'Association pour la solidarité nationale envers les handicapés (Asonami), coordonnatrice générale de l'Organisation des femmes du PDGE. « Marraine » du navire des gardes-côtes *Hipolito-Micha* et du Programme national pour la santé reproductive, Constancia fut aussi celle de la Décennie africaine des handicapés (1999-2009), présida la Mission pour la paix des *First Ladies* d'Afrique centrale et détient depuis octobre 2001 un doctorat *honoris causa* de l'université interaméricaine des sciences sociales de Buenos Aires (Argentine).

Autant dire qu'on flirte avec le parfait palmarès de la Première Dame patronnesse. Palmarès sans doute incomplet, tant le site du Canige semblait frappé à l'été 2013 de somnolence. Les dernières activités mentionnées avaient alors, à l'instar du bon whisky, douze ans d'âge : elles dataient de 2001. Les rubriques « Livre d'or », « Contacts » et « Album photos » ? Inactives.

---

9. Site Internet : www.canige-constancia.org

L'onglet « Discours » ? Une seule adresse, prononcée à l'occasion d'une donation de tricycles pour invalides, et qui figure déjà en page d'accueil. Constancia juge utile d'y affirmer d'emblée « le caractère purement humanitaire » de ses initiatives, exemptes de « tout prosélytisme politique ». « Depuis l'accession de mon mari au pouvoir, poursuit-elle, je me suis toujours employée à aider les plus nécessiteux sans distinction d'ethnie, de clan, d'option politique, de région ou de condition sociale. » *Amen.*

## Plus près de Toi, mon Dieu

A l'inverse, le portail numérique trilingue – espagnol, français, anglais – de la présidence se révèle parfaitement à jour. On y recensait en juin 2013 plus de 150 entrées relatives aux activités d'une Panthère suprême dont l'agenda dévoile, au fil des deux années écoulées, l'influence, sinon la primauté. Il y a bien sûr le chantier caritatif, le plus convenu. Un don de 200 millions de francs CFA – soit environ 300 000 euros – aux commerçantes sinistrées d'un marché de Malabo, l'ancienne Santa Isabel, ravagé par un incendie. Un autre, plus modeste, destiné à financer l'envoi à l'étranger, pour y être opéré, d'un gamin de deux ans paralysé de naissance. Geste généreux qui atteste au passage les carences d'un régime abreuvé de pétrodollars mais dont le système hospitalier demeure incapable de traiter *in situ* les cas graves, du grand brûlé au paraplégique. Dûment médiatisé, l'activisme humanitaire de Constancia lui vaut de glaner maints lauriers hors frontières. Le 13 juin 2013,

coiffée d'un élégant turban et l'épaule ornée d'une
étole grège, elle reçoit ainsi au siège de l'Onu, à New
York, l'un des trophées des « Objectifs du Millénaire
pour le développement de la femme ». Lesquels prix
ont vocation à honorer « le *leadership* inébranlable,
les réussites, les contributions et l'engagement des
courageuses Premières Dames d'Afrique ». Dans la
foulée, la récipiendaire se verra promue présidente
du Comité exécutif de l'énigmatique fondation Voces
de Madres Africanas (Voix des mères d'Afrique), l'une
des puissances invitantes. Une présidence de plus, à
ranger au côté de celle, honorifique, de la Fédération d'Afrique centrale des associations de personnes
handicapées, ou Facaph, glanée en décembre 2011 à
« Nuatchok » (*sic*). Comprenez Nouakchott, la capitale mauritanienne.

La bienfaitrice nomade peut aussi fort bien participer, au côté de ses homologues du Gabon, du Niger,
du Burkina Faso et de Guinée-Conakry, à un sommet
des moitiés d'en haut engagées sur le front du cancer
du col de l'utérus ou à la 10$^e$ assemblée de l'Organisation des Premières Dames d'Afrique contre le sida.
Ce qui ne l'empêche pas – foin de sectarisme – de
s'afficher à la tribune des forums de Synergies africaines, l'autre amicale anti-VIH des « présidentes »,
fondée en 2002 par la Camerounaise Chantal Biya.
Sur un registre plus léger, notre « Dame de cœur »
dispense conseils et largesses quand sonne l'heure
de la Malabo Fashion Week ou de tel concours de
beauté. Et paie de sa personne au royaume du ballon
rond. On l'a ainsi vu, au côté du très cher Teodorin,
donner le coup d'envoi de l'édition 2012 de la Coupe
d'Afrique des Nations féminine, disputée au pays et

opportunément remportée par le Onze équato-guinéen, ou gratifier de 100 millions de CFA les équipes
de la ligue locale du beau sexe.

Qu'on se rassure : auprès de son époux, Constancia
sacrifie volontiers à un culte moins profane. Car dans
l'« Obiangistan », tout commence et tout finit par des
cantiques. Y compris les congrès du parti au pouvoir.
Pas un mois ne s'écoule sans que le tandem honore
de sa présence, ici une messe d'action de grâce, là
l'inauguration d'une église paroissiale de province.
L'office de Pâques, celui de Noël : le site présidentiel ne manque jamais de mettre en ligne la photo
du pieux duo. Pieux et recueilli, mais pas vraiment
humble. Placés devant la foule des fidèles, les prie-
dieu du boss et de Madame font face à l'autel. Le
père, la mère, le fils et le Saint-Esprit... Le Très-Haut,
pourvu qu'Il en trouve, reconnaîtra les siens. Parmi les
images saintes, celle de Constancia, en robe léopard,
s'inclinant pour baiser les pieds de l'Enfant Jésus, en
la basilique de l'Immaculée-Conception, à l'heure de
la célébration de la Nativité 2012. Pas question de se
dérober à la quête : trois mois plus tôt, la Première
Dame avait, *via* sa directrice du protocole, fait don
aux sœurs d'une congrégation franciscaine d'Akonibe
des fonds nécessaires à l'achèvement du chantier de
leur nouveau couvent.

Plus près de Toi, mon Dieu, et jamais loin du « chef
d'Etat et de gouvernement et président-fondateur du
PDGE ». Car la Primera Dama est de tous les voyages
à l'étranger, qu'il s'agisse d'un sommet de la Terre à
Rio (Brésil), des obsèques à Caracas du Lider Máximo
vénézuélien Hugo Chávez, d'une visite officielle en
Chine, d'une escapade new-yorkaise à la faveur d'une

session de l'Onu sur les conflits en Afrique ou d'un sommet de l'Union africaine en son siège d'Addis-Abeba (Ethiopie). On l'aura compris : pour la potiche effacée vouée à inaugurer des crèches et à cueillir bouquets et aubades des enfants des écoles, prière de repasser. Pour preuve, le carnet de bal politique de la « sœur militante », copieusement garni. Passons sur son inscription sur les listes électorales et ses passages dans l'isoloir, exercices conjugaux dûment mis en scène. Mais purement formels : en Guinée équatoriale, pays régenté à la cravache par le parti-Etat PDGE, un seul député d'opposition siège sur les bancs de l'Assemblée nationale ; quant au sieur Obiang, élu et réélu quatre fois à la tête de sa principauté orwellienne depuis son « *Golpe de Libertad* », il n'a raflé en 2009 que 95,37 % des suffrages, son score le plus médiocre. De même, nul ne s'étonnera de voir Constancia accompagner Teodoro lors de ses longues tournées électorales, et semer dans son sillage dons en espèces, médicaments et fauteuils roulants. Figure de style coutumière là encore. En revanche, il est moins fréquent pour une Première Dame, fût-elle « présidente d'honneur du Mouvement des amis d'Obiang » (MAO), de recevoir ès qualités ambassadeurs étrangers et membres du gouvernement, à commencer par le premier vice-Premier ministre ou les titulaires des portefeuilles des Affaires sociales et de la Promotion de la Femme comme de l'Education et des Sciences. Ministres dont on devine, au vu de leur posture déférente, qu'ils sont moins là pour exposer leur programme que pour prendre note d'impérieuses directives.

*Touche pas à mon népote*

Impression confirmée par le diagnostic de *La Lettre du Continent*. Selon cette publication confidentielle de référence, la « gardienne du temple du pouvoir » orchestre certains remaniements et adoube les nouveaux venus. Au passage, on notera que la dynastie Obiang a élevé le népotisme au rang de sport national. Sur les 73 – pas un de moins – ministres, vice-ministres et secrétaires d'Etat, une bonne quinzaine appartiennent au clan familial. Citons la sœur aînée de Constancia, la dénommée Victoriana Nchama Nsue Okomo, vice-ministre aux Affaires étrangères et à la Coopération ; ou encore l'autre fils, Ruslan Obiang Nsue, qui occupe le peu flatteur 73$^e$ et dernier rang dans l'ordre protocolaire. Pour rivaliser avec son aîné Teodorin, ancien détenteur d'un maroquin doré sur tranche – l'Agriculture et les Forêts, donc le négoce du bois précieux – et désormais, on l'a vu, second vice-président de la République, la lanterne rouge devra ramer ferme. Pauvre Ruslan : malgré son patronyme et son secrétariat d'Etat à la Jeunesse et aux Sports, c'est en vain qu'il a brigué en janvier 2013 la présidence de la Feguifoot, la Fédération équato-guinéenne de football.

Dans la famille Mangue, je demande le frérot… Patience, le voici. Il se prénomme Wenceslas et dirige depuis l'automne 2012 le protocole d'Etat. A l'époque, Constancia avait exigé et obtenu la tête du titulaire du poste, l'ambassadeur Jesus Mba Bela

Abaha, promptement remplacé par le frangin[10]. En
« Obianguinée », le Conseil des ministres s'apparente
donc à une réunion de famille, mais de famille élargie. A preuve, la présence en son sein de Gabriel
Mbega Obiang Lima, gratifié de l'épais portefeuille de
l'Industrie et de l'Energie et parfois présenté comme
le rival dans la course au trône de Teodorin, l'ex-
bûcheron plus bêcheur que bûcheur. Né lui aussi des
œuvres du putschiste Teodoro, ce Gaby-là a pour
mère non pas Constancia Mangue, mais Celestina
Lima Vieira, la deuxième épouse du Boss. En clair,
une Première Dame peut en cacher une autre. Selon
l'opposition en exil, le maître de Malabo arracha jadis
cette beauté originaire de São Tomé à son fiancé, un
certain Ndong Nangale ; lequel aurait péri en cap-
tivité dans des circonstances plus que suspectes[11].
« Ménagée, voire choyée par le président, Celestina
navigue aujourd'hui entre sa patrie d'adoption et les
îles Canaries [Espagne], où elle veille sur un très res-
pectable patrimoine », précise un vétéran de la cour
équato-guinéenne. Cela posé, le scénario d'un hold-
up successoral aux dépens de Teodorin, le poulain
de Constancia, paraît fantaisiste. Formé aux Etats-
Unis, Gabriel passe certes pour l'interlocuteur obligé
des majors pétrolières, notamment américaines. De
même, ceux que préoccupe avant tout la pérennité

---

10. *La Lettre du Continent*, 11 octobre 2012. « Grâce
à lui, avancera six mois plus tard la même publication,
Constancia Mangue de Obiang a désormais droit de vie et
de mort sur les visiteurs de l'émir de Malabo. »

11. Adjo Saabie, *Epouses et concubines de chefs d'Etat
africains*, op. cit.

du régime – à commencer par deux des frères du chef de l'Etat, dont l'inamovible ministre de la Défense – préfèrent à l'option du favori caractériel celle de l'*outsider* raisonnable. « Pour autant, nuance Frédéric Lejeal, rédacteur en chef de *La Lettre du Continent*, le père Obiang juge que celui-ci, dépourvu de relais au sein de l'appareil sécuritaire, peinerait à tenir le pays après lui. »

## *Une* First Lady *en* business class

Toujours plus : telle pourrait être la devise de la tribu. Déjà évoquée, la nature des audiences de la Primera Dama révèle une autre facette de sa puissance, entre affaires et affairisme. Le 11 septembre 2012, elle recevait ainsi l'état-major de la société chinoise Huawei Technologies. Fin mai de la même année, une poignée d'entrepreneurs espagnols, lestés de cadeaux de marque, avaient fait escale dans ses bureaux. « Les investisseurs défilent, confirme un témoin avisé. Ils savent bien qu'en matière de contrats et de marchés, tout ou presque passe par elle. » De même, pas un opérateur pétrolier ne s'abstient de contribuer aux bonnes œuvres de Madame, à commencer par son fameux Comité de soutien à l'enfant équato-guinéen, ou Canige. Un ex-ambassadeur européen se souvient encore des commentaires d'un de ses assistants locaux, alors qu'il filait le long de la voie rapide qui relie l'aéroport au centre-ville de Malabo. « Vous voyez cet immeuble, sur la droite ? Propriété de Madame. Et ce terrain-là, côté gauche ? *Idem*. » « Même topo au-delà du périphérique, vers la ville nouvelle de Sipopo, commente le diplomate. A Bata, sur le continent, c'est pire encore. Plus du tiers des emprises foncières lui appartiennent, souvent *via* des parents ou des sociétés écrans. Au nom de la préservation des intérêts de la famille est apparu un terrifiant système prébendier. Jamais je n'ai vu, au fil de ma carrière africaine, un tel dispositif de captation de la richesse nationale. En cela, le fils Teodorin est bien le digne héritier de sa mère. » Les domaines de prédilection de celle-ci : l'immobilier à grande échelle, le BTP, la téléphonie, la banque et, dans une moindre mesure, le pétrole.

Plutôt que d'infliger au lecteur un inventaire exhaustif du patrimoine en dur que l'on prête à la Panthère – exercice voué à l'échec –, on se bornera à en citer quelques joyaux : un immense domaine clos de murs non loin du palais, un imposant bâtiment à proximité de la Cour constitutionnelle, les cliniques Virgen de Guadalupe à Malabo et Santa Isabel sur l'île de Bioko, des supermarchés, des centres commerciaux dotés de restaurants chic, dont celui de La Luna, dans la zone portuaire de la capitale. « Une emprise tentaculaire[12] », résume Frédéric Lejeal. A en croire la presse espagnole, un des fleurons de la nébuleuse Constancia s'est vu confier en 2010 la construction de l'aéroport de Mongomeyén et d'un hôtel voisin. Montant du contrat : 375 millions d'euros[13]. Il n'y a pas de petits profits. Depuis la rentrée scolaire de cette année-là, le port de l'uniforme est obligatoire dans les collèges équato-guinéens. Qui donc a décroché

---

12. Entretien avec l'auteur, 10 janvier 2013.
13. *ABC*, 9 janvier 2011.

le marché ? La société Sastreria Moderna – atelier de confection moderne –, contrôlée elle aussi par l'ex-enseignante devenue, aux dires d'un ancien conseiller Afrique de l'Elysée, « femme d'affaires avant tout ». Et gare à quiconque ose résister aux diktats de la caste. Patron de la société Soluciones Modulares, le Valencian Roberto Cubria, 45 ans, a payé pour le savoir. Relatif à la livraison d'un hangar, le contentieux qui l'a opposé voilà peu à Genoveva Andeme Obiang, directrice adjointe de la Banque des Etats de l'Afrique centrale (BEAC) à Malabo et fille du président, l'a contraint de trouver refuge deux mois durant dans l'enceinte de l'ambassade d'Espagne. Pour retrouver son passeport et sa liberté, il lui a d'ailleurs fallu lâcher pour 50 000 euros de matériel[14]. Extorsion, racket institutionnel, commissions et pots-de-vin, tel est souvent le lot des opérateurs attirés par l'eldorado équato-guinéen.

Dans la galaxie Obiang Ltd a longtemps gravité un concitoyen discret, voire secret : l'architecte d'origine libanaise Hassan Hachem, dont l'activité couvre un large spectre allant des activités portuaires à la grande distribution, *via* l'immobilier. « Côté *business*, le préposé aux basses œuvres d'un couple dont il connaît tous les secrets, avance un diplomate. Pour l'anecdote, il a dessiné les plans du lycée français de Bata et possède à Malabo, sur la route de l'aéroport, un immeuble voisin d'une des propriétés de Madame. Lui jouit en haut lieu d'une confiance absolue. » Jouit, ou jouissait ? Plusieurs initiés jugent pâlissante l'étoile de cet homme de l'ombre, affaibli

---

14. *El Pais*, 24 mars 2013.

par un grave accident de voiture survenu en 2012[15].
« La Première Dame, précise l'un d'eux, voit au fond
en lui un adversaire capable de grignoter le gâteau
qu'elle tient à réserver à ses proches. » Il n'empêche :
le chiite Hachem, qui n'a pas daigné répondre aux
courriels de l'auteur de ces lignes, pourrait à coup sûr
démêler l'écheveau touffu des rumeurs qu'inspire la
fortune colossale amassée par Constancia. La fortune
et ses revers... Lui sait ainsi s'il est vrai qu'en 2009
deux employés paraguayens du palais lui ont dérobé
avant de disparaître la bagatelle de 4 milliards de
francs CFA, soit 6 millions d'euros ; lui sait aussi si
la « sœur militante » a bien détenu cinq comptes et
trois certificats de dépôt chez Riggs, banque américaine virtuose du blanchiment, sabordée puis avalée
en mai 2005 par un repreneur moins sulfureux, ainsi
qu'une carte de crédit autorisant un débit quotidien
de 10 000 dollars ; lui sait enfin si diverses majors
pétrolières d'outre-Atlantique, Exxon en tête, ont
amplement garni les coffres de la *First Lady*, fût-ce
sous la forme de versements de loyers dus pour loger
personnels et bureaux.

Une certitude : la Panthère, pourvue d'un jet privé
– un Falcon 900B – ne manque pas de pied-à-terre
en Europe. Son nom apparaissait à l'été 2012 sur les
boîtes aux lettres de deux appartements genevois. Il
faut dire que deux de ses rejetons, les jumeaux Pas-
tor et Justo, détenteurs de la nationalité suisse, ont

---

15. Selon *La Lettre du Continent* du 17 juillet 2013,
son absence prolongée de l'avant-scène équato-guinéenne
inquiète plusieurs grands groupes français dont il passait
pour l'interlocuteur favori.

grandi sur les rives du lac Léman et fréquenté le très huppé institut du Rosey de Rolle, surnommé « l'école des rois » pour avoir accueilli en son château, entre autres têtes couronnées, Juan Carlos d'Espagne, les Belges Baudoin Ier et Albert II, le futur Chah d'Iran Mohammad Reza Pahlavi, Fouad II d'Egypte, Rainier III de Monaco ou Son Altesse l'Aga Khan[16]. « A ma connaissance, confirme l'Helvète Pierre-André Wenger, conseiller en semi-disgrâce de leur aîné Teodorin, les garçons vivent toujours chez nous. Il arrive qu'un jet privé vienne les cueillir à Genève pour les emmener en vacances à Saint-Domingue[17]. » On l'a vu : Sa Majesté Constancia eut aussi, avant la saisie ordonnée en juillet 2012 par la justice hexagonale, ses habitudes au 42, avenue Fauche – pardon, avenue Foch –, point de chute parisien du fils premier-né ; un galetas de 5 000 mètres carrés et cent une pièces, dont un salon or et vermeil d'un kitsch infernal, œuvre, pour la modique somme de 12 millions d'euros, du décorateur Alberto Pinto. Valeur totale, tableaux de maîtres et reliques de Michael Jackson compris : 220 millions d'euros. Pour son documentaire intitulé « Biens mal acquis profitent toujours : enquête sur un pillage d'Etats » et diffusé en janvier 2013, la journaliste Magali Serre a cueilli au débotté les confidences embarrassées de l'intendant de la propriété, gérée par une société anonyme de droit suisse établie à Fribourg. « Oui, le ministre – entendez Teodorin – est là. Et l'épouse du président aussi. Mais ne dites pas que je vous ai parlé, sinon je perds ma

---

16. *L'Hebdo*, 4 juillet 2012.
17. Entretien avec l'auteur, 19 juin 2013.

place. » Depuis 2015, Malabo tente d'arracher, avec le concours d'une poignée de ténors du barreau parisien, la levée de la saisie du « 52 », si besoin contre le versement d'une indemnité forfaitaire.

« La merde du diable » : voilà comment, en Afrique, on désigne parfois le pétrole. Du moins chez ceux qui ont compris combien le prurit prébendier des puissants tend à métamorphoser la manne céleste de l'or noir en malédiction. Une alchimie perverse qui commença d'empoisonner la Guinée équatoriale, aujourd'hui troisième producteur de brut subsaharien derrière le Nigeria et l'Angola, dès 1991, année de la découverte des gisements *offshore* d'Alba, au large de l'île de Bioko. Avant, Teodoro empruntait l'avion de son grand voisin camerounais Paul Biya pour ses visites à l'étranger et Madame faisait les boutiques à Yaoundé. Depuis, la famille collectionne les jets privés et Constancia, pourvue d'un Falcon 900, écume les joailleries de la Vieille Europe ou du Nouveau Monde. Quand elle ne couve pas du regard son chenapan de fils.

# Le rendez-vous d'Orsay
# ou les muses au musée

Vendredi 6 décembre 2013, 14 heures. Froid vif et soleil radieux sur Paris. Veste chinée, chemisier ivoire, jupe noire et droite, sourire en bandoulière, Valérie Trierweiler accueille une à une les Premières Dames conviées à la « conférence de mobilisation contre les violences sexuelles faites aux femmes dans les conflits » qu'elle orchestre au musée d'Orsay, en marge du sommet de l'Elysée sur la paix et la sécurité en Afrique. Celle qui est encore la compagne de François Hollande gratifie chacune de ses invitées du même rituel : la bise, puis quelques pas jusqu'au centre du hall, au pied d'une horloge monumentale flanquée de deux angelots replets, histoire de prendre la pose côte à côte sous le feu nourri des flashes jaillis de la cohorte des photographes. Lesquels, en vertu d'une tenace tradition, jouent des coudes, s'invectivent ou hèlent leurs modèles du jour. « Par ici, Mesdames! A gauche! Regardez vers la gauche! »

Ainsi défileront, entre les colonnes de marbre de l'ancienne gare de la rive gauche, sept des dix « Reines » dépeintes dans les pages qui précèdent. Notamment toutes celles qui, à l'instant T, peuvent se prévaloir de la dignité de *First Lady* en exercice, hormis la Zimbabwéenne Grace Mugabe. Logique. Cible d'une quarantaine amplement méritée et jugé *persona non grata* sur les bords de Seine, son époux Robert n'a pas fait le voyage. En règle générale, ces dames arborent une tenue sobre. A une exception près : fidèle à sa légende, la Camerounaise Chantal Biya a pioché dans sa riche garde-robe un ensemble coquelicot aux épaulettes cloutées d'or et une paire de bottes de velours à hauts talons. La coiffure, à l'avenant, tranche sur son teint de porcelaine aux reflets olivâtres : un opulent casque de mèches auburn surgies d'un bandeau noir.

Une ombre et un spectre planeront sur cette rencontre. Le spectre? Celui des carnages qui endeuillent la République centrafricaine (RCA), théâtre quelques heures plus tôt du déclenchement par un robuste contingent français de la périlleuse opération Sangaris. Quant à l'ombre, c'est celle, tutélaire et bienveillante, de Nelson Mandela. La veille, au terme d'une longue agonie, l'icône sud-africaine a rejoint le village des ancêtres. Voilà pourquoi, en préambule des débats, la maîtresse de céans française, Valérie Trierweiler donc, dédie au défunt « Madiba » un bref hommage, avant de prier ses semblables d'observer en sa mémoire une minute de silence. Suit un discours d'ouverture, sobre, sincère et juste, sur le fléau

du viol, arme de guerre des soudards de toutes obé-
diences et crime sans châtiment. Rendons-lui cette
justice : si la chroniqueuse littéraire de *Paris-Match*
avait peiné à trouver ses marques au début du quinquennat « hollandais », son engagement sur ce front,
nourri par ses voyages au Mali, au Burundi ou en
République démocratique du Congo (RDC), inspire
moins le sarcasme que le respect.

Pour autant, il flottera sous les fresques, les lambris
et les lustres du salon fastueux où ont pris place dix-
sept épouses de chefs d'Etat du continent noir comme
un malaise insidieux. Reflet, en un raccourci saisis-
sant, des ambiguïtés du statut de femme du chef dans
l'Afrique d'aujourd'hui maintes fois évoquées au fil de
cet ouvrage. Quel contraste entre le témoignage poignant d'une victime anéantie et la désinvolture qu'affiche parfois telle ou telle Excellence. Quel décalage
entre l'implacable dépouillement du documentaire
consacré aux exactions atroces infligées aux « sœurs »
du Kivu (RDC), projeté dans un silence de cathédrale,
et la succession de plaidoyers convenus que liront
ensuite, avec une flamme inégale, plusieurs des pré-
sentes, chacune vantant les initiatives entreprises
sur ses terres. Au passage, comment ne pas déplorer
l'absence d'Olive Kabila, Première Dame de l'ex-Zaïre,
l'un des pays les plus meurtris par les ravages du viol,
assassinat intime et social. Mais il paraît, à en croire
l'hebdomadaire *Jeune Afrique*, qu'entre elle et Valérie
« le courant ne passe pas ».

« Je suis une grand-mère. On m'a violée. Il y a
beaucoup de souffrances, tu peux pas dire. On veut
du paix. On demande du paix. » Bien sûr, lorsque
la Centrafricaine Hélène Vougbo se lève pour dire

l'indicible avec ses pauvres mots, les yeux dûment maquillés s'embuent et quelques larmes coulent. Mais voilà : tandis que s'exprime son austère voisine venue des Comores, l'extravagante Chantal Biya – encore elle – ne tarde pas, miroir en main, à en effacer les sillons. Quitte à envoyer son assistante quérir auprès du « sherpa » blanc de peau de la Gabonaise Sylvia Bongo Ondimba, installée à cinq chaises de là et qu'elle avait auparavant saluée d'un tonitruant « Bonjour ma chérie ! », un poudrier de fard à joues. Le tout sous le regard plus gêné ou réprobateur qu'amusé de ses homologues. Plus tard, on la verra batailler avec le fermoir du pendentif offert à chacune des épouses et placé entre la coupelle de minimacarons, l'assortiment de chocolats et le gracieux bouquet de roses. Un cadeau qui aura au moins le mérite d'éveiller l'intérêt de l'Equato-Guinéenne Constancia Mangue de Obiang, surprise en pleine lecture du certificat d'authenticité glissé dans l'écrin.

Peccadilles ? Sans doute. Si, en dépit des couacs et des fautes de goût, ce sommet parallèle a contribué comme espéré à « rompre le silence », tant mieux. Si l'appel solennel signé par ces dames en fin de séance, et adressé au Secrétaire général de l'Onu, trouve un écho auprès de leurs maris, nul ne s'en plaindra. En fait d'écho, rien, quoi qu'il advienne, ne peut étouffer celui de l'aveu d'une rescapée, cueilli au détour d'un de ses voyages par la future ex-Première Dame : « Vous me croyez vivante, mais à l'intérieur, je suis déjà morte. Mon âme est morte. »

# Remerciements

Je tiens à remercier les – trop rares – Premières Dames qui ont consenti à me recevoir. Au risque du paradoxe, ma gratitude va aussi à celles qui se sont dérobées, qu'elles aient ou non pris la peine de fournir un billet d'excuses : instructif, leur silence trahit une gêne, une crainte, une conscience aiguë de la vanité des intrigues d'ici-bas ou l'influence dissuasive de leur entourage. Merci à tous les témoins, guides et vigies d'Afrique ou d'ailleurs, qui m'ont aidé, à visage découvert ou sous le sceau de l'anonymat, à explorer la galaxie des *First Ladies*. Grâce soit aussi rendue à Benoît Yvert pour son attentive confiance. A Bénédicte Avel pour son savoir-faire dans l'art du faire savoir. A Caroline de Maublanc pour sa bienveillante disponibilité. A Céline Delautre pour sa relecture au laser. A Marguerite de Marcillac pour sa traque iconographique. A Marie de Lattre pour son éloquente couverture. A Jean-Benoît Vassogne pour ses conseils avisés. Et à Camille Couture pour ses talents de stratège. Bref à toutes celles et ceux sans qui nos écrits ne seraient que ce qu'ils sont.

# Table

*TABLE*  283

# collection tempus
## Perrin

Composition et mise en pages
Nord Compo à Villeneuve-d'Ascq


Imprimé en France par

Maury Imprimeur
à Malesherbes (Loiret)
en mai 2016


N° d'impression : 209042
Dépôt légal : juin 2016
K06617/01